Les 5 derniers dragons

L'enlèvement

L'enlèvement

Tome 1

Danielle Dumais

Éditeur : François Doucet
Révision linguistique : Daniel Picard
Correction d'épreuves : Suzanne Turcotte, Carine Paradis, Katherine Lacombe
Conception de la couverture : Tho Quan
Photo de la couverture : © Thinkstock
Mise en pages : Sébastien Michaud
ISBN papier 978-2-89667-410-7
ISBN numérique 978-2-89683-189-0
Première impression : 2011
Dépôt légal : 2011
Bibliothèque et Archives nationales du Québec
Bibliothèque Nationale du Canada

Éditions AdA Inc.
1385, boul. Lionel-Boulet
Varennes, Québec, Canada, J3X 1P7
Téléphone : 450-929-0296
Télécopieur : 450-929-0220
www.ada-inc.com
info@ada-inc.com

Diffusion

Canada :	Éditions AdA Inc.
France :	D.G. Diffusion
	Z.I. des Bogues
	31750 Escalquens — France
	Téléphone : 05.61.00.09.99
Suisse :	Transat — 23.42.77.40
Belgique :	D.G. Diffusion — 05.61.00.09.99

Imprimé au Canada

Participation de la SODEC.
Nous reconnaissons l'aide financière du gouvernement du Canada par l'entremise du Programme d'aide au développement de l'industrie de l'édition (PADIÉ) pour nos activités d'édition.
Gouvernement du Québec — Programme de crédit d'impôt pour l'édition de livres — Gestion SODEC.

Catalogage avant publication de Bibliothèque et Archives nationales du Québec et Bibliothèque et Archives Canada

Dumais, Danielle, 1952-

Les cinq derniers dragons
Sommaire: t. 1. L'enlèvement -- t. 2. L'épreuve.
Pour les jeunes de 10 ans et plus.
ISBN 978-2-89667-410-7 (v. 1)
ISBN 978-2-89667-411-4 (v. 2)

I. Titre. II. Titre: L'enlèvement. III. Titre: L'épreuve.

PS8607.U441C56 2011 jC843'.6 C2011-941333-7
PS9607.U441C56 2011

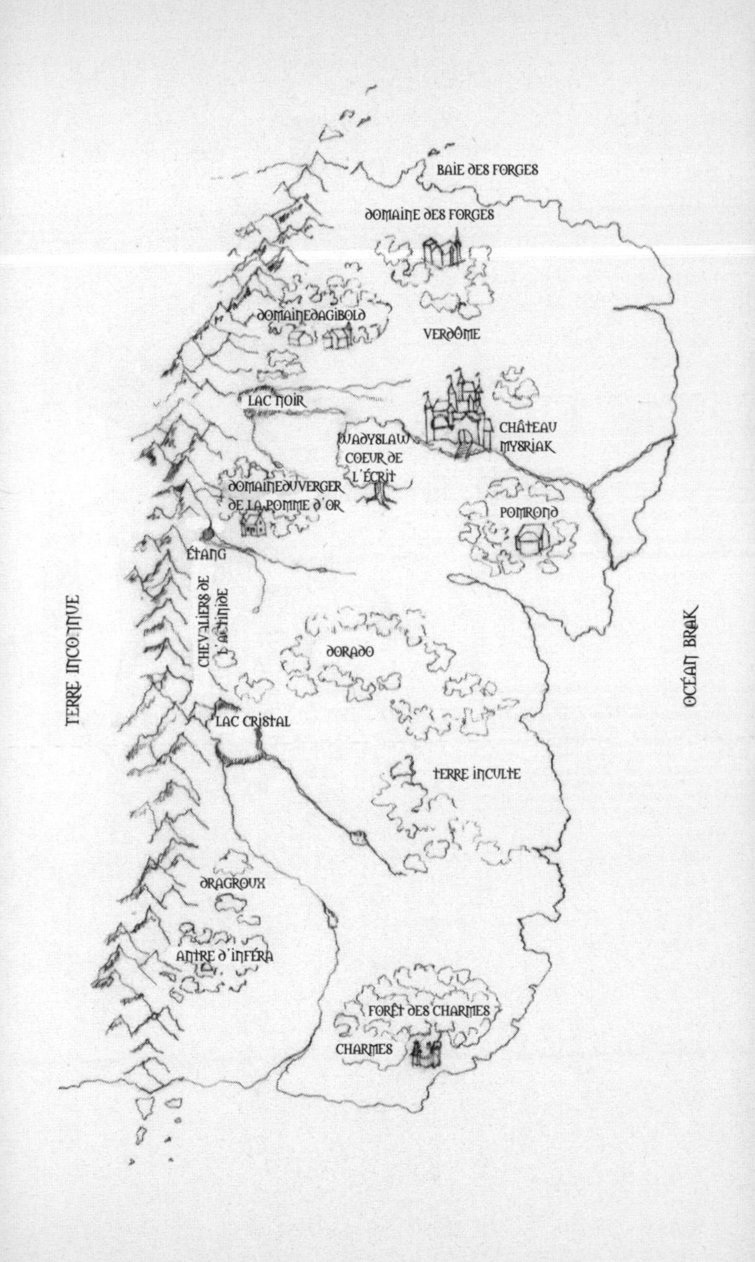
BAIE DES FORGES
DOMAINE DES FORGES
DOMAINEDAGIBOLD
VERDÔME
LAC NOIR
CHÂTEAU
MYSRIAK
WADYSLAW
COEUR DE
L'ÉCRIT
DOMAINEDUVERGER
DE LA POMME D'OR
POMROND
ÉTANG
CHEVALIERS DE
L'ACTINIDE
TERRE INCONNUE
DORADO
OCÉAN BRAK
LAC CRISTAL
TERRE INCULTE
DRAGROUX
ANTRE D'INFÉRA
FORÊT DES CHARMES
CHARMES

PROLOGUE

Il y a fort longtemps, une guerre avait éclaté au Dorado malgré que l'on dise que le territoire était impénétrable à l'ouest, grâce à une chaîne de montagnes aux cimes élevées, et inaccessible au sud, au nord et à l'est, en raison d'un océan du nom de Brak aux abords hérissés de pics et de rochers. Pourtant, une guerre sournoise venue du ciel s'était abattue sur cette magnifique région.

Elle avait pris fin aussi mystérieusement et abruptement qu'elle avait commencé. Dès les premiers jours d'accalmie, les enchanteurs composés de magiciens et de fées se vantaient que c'était grâce à eux et grâce à un dôme invisible de protection au-dessus de tout le territoire que la paix était revenue. Bien sûr, les hobereaux – des gens dépourvus de magie – n'en croyaient rien et se moquaient d'eux. Ainsi, ils n'arrêtaient pas de dire que le soleil brillait comme d'habitude et, la nuit, le cycle lunaire n'avait pas changé d'un iota, allant de la nouvelle lune à la pleine lune et de la pleine lune à la nouvelle lune, et ainsi de suite. Toujours d'après eux, le dôme, bien que supposément transparent, aurait nui aux déplacements des astres diurne et nocturne. Conclusion : il n'y a pas de dôme. Pour cesser les discussions hostiles et inutiles, les enchanteurs n'en reparlèrent plus.

Au terme de cette guerre, ils s'accordèrent sur un point, sur un terrible constat. Plus des deux tiers de la population avaient été éliminés. La diversité des animaux s'était dégradée. Ce pays autrefois si beau et si ordonné était devenu dépeuplé et désorganisé. Une grande morosité se répandit dans tout le pays. C'est alors que le chevalier Wilbras, dit Le Vaillant, prit en charge le pays. Il se proclama roi et instaura un nouveau calendrier.

Ce fut le début d'une nouvelle ère. Ce fut le jour 1 de l'ère du roi Wilbras I. De plus, il s'établit au château Mysriak, le seul château encore debout. Au fil des ans, les souvenirs s'estompèrent de la mémoire des hobereaux.

Depuis lors, c'est-à-dire 150 années, une douce paix bienfaisante régnait au pays du Dorado, une paix qui comportait encore quelques tiraillements entre les hobereaux et les enchanteurs. Hélas, ces conflits remontaient depuis bien avant la guerre ! C'était une rivalité légendaire. Les hobereaux accusaient les enchanteurs d'éluder tout problème d'un simple coup de baguette. Les magiciens et les fées répondaient à cette accusation en disant qu'un don ne doit pas être perdu et que la seule façon de ne pas le perdre à tout jamais, c'était de pratiquer leur Art autant de fois qu'ils le pouvaient.

Le roi Wilbras I, soucieux du bien-être de tous ses sujets et voyant que la magie était une source de débats haineux, eut l'idée de l'interdire sur la totalité du territoire. Il en fut de même avec le roi Wilbras II, Wilbras III, Wilbras IV et le roi Wilbras V. Ce Grand

Art fut interdit à tout jamais. Les enchanteurs s'accommodaient tant bien que mal de cette loi si désagréable qui brimait leurs droits. « N'est-ce pas le prix à payer après avoir vécu une guerre si cruelle qui avait tué des milliers de gens ? » disaient les hobereaux.

Peu à peu, la vie avait repris ses droits. La forêt dévastée renaissait de ses cendres. De même, les villages se repeuplaient. À coups de haches et de sueurs, de nouvelles maisons occupaient le paysage. À nouveau, les rires des enfants résonnaient dans les rues. Les paysans avaient repris leurs cultures et les autres œuvraient à leurs métiers. L'ordre et la joie se rétablissaient au pays. Les hobereaux croyaient dur comme fer que la nouvelle loi excluant la magie était juste et nécessaire.

D'un autre côté, les enchanteurs bouillaient de rage. Bien sûr, c'était facile pour les gens ordinaires de dire que la magie était inutile. Les hobereaux avaient une vision si différente de la leur et surtout une mémoire si courte. N'avaient-ils pas sauvé le pays grâce au dôme de protection ? Quelques enchanteurs n'hésitaient pas à dire que les hobereaux étaient des enchanteurs avilis ayant perdu leurs propres pouvoirs. D'autres, mariés à des hobereaux, disaient qu'il valait mieux s'entendre et vivre en harmonie, un équilibre précieux, et que la moindre perte d'un enchanteur ou d'un hobereau créerait le chaos.

Les hobereaux, vivant beaucoup moins longtemps que les enchanteurs, n'avaient aucun souvenir du pays, aucune réminiscence des événements passés 150 ans plus tôt. En ce 31 août de l'an 150, un magicien du nom d'Éxir se remémorait son pays d'antan, un pays prospère et puissant, le Dorado. Si les hobereaux avaient eu le moindre souvenir d'avant le règne de Wilbras I, ils n'hésiteraient pas à réinstaurer la magie, une assurance de bien-être, au lieu d'être soumis aux lois de la nature parfois violente et sévère, ou pire encore d'être à la merci d'une menace provenant d'un ennemi lointain. Éxir, le plus puissant magicien de Dorado, frémit.

Il se souvenait des nombreux royaumes d'avant la guerre. Jadis, chaque royaume avait sa fierté, son château et son armée. Un grand nombre de magiciens et de fées doués voyaient à l'équilibre des forces de la nature et s'assuraient que tous les habitants ne manquent de rien.

Un des royaumes se nommait les Forges. Il était situé au nord du pays et il était reconnu pour la connaissance du feu et la fabrication de magnifiques armes et armures. À cette époque, son armée était réputée comme étant la plus courageuse et la plus endurcie. Maintenant, ce royaume n'était plus qu'un domaine à peine plus grand qu'un bourg.

La guerre avait altéré d'autres royaumes tels que : Verdôme au centre nord, Pomrond à l'est, Dragroux au sud-ouest et enfin, Les Charmes à l'extrémité sud de Dorado, où vivait presque en ermite Éxir.

Grâce à sa longévité, dix fois celle d'un humain, Éxir savait qu'un jour l'Envahisseur reviendrait hanter leur terre et encore une fois transformer leur vie paisible en tragédie. Peut-être de façon plus sauvage ?

Le malheur était que lui et sa confrérie étaient privés de leur magie, une magie qui avait fait ses preuves et sauvé Dorado. C'était ça le miracle. Mais ça, les hobereaux l'ignoraient ou ne voulaient pas le savoir. Une vie si longue sans pratiquer le Grand Art, c'était de la pure torture. Et que faire si jamais l'Envahisseur réapparaissait ? Cette question le hantait. Une seule réponse lui parut plausible. L'Interdiction devait être abolie quoi qu'en pense le souverain.

Chaque jour et chaque nuit, il arpentait les plages observant les moindres embarcations ou navires à l'horizon. Cette nuit-ci, après une interminable marche sur la plage et de longues observations, il fut rempli de gratitude. Aucun mouvement ni objet n'apparaissaient sur l'immense étendue d'eau, sur l'océan Brak. La lune était ronde et toute blanche. Les vagues ondulaient continuellement, laissant apparaître au haut des crêtes des reflets argentés qui disparaissaient au contact de la plage. Ce clapotis normal le rassurait.

Il était tard. Désireux de se reposer dans sa douce demeure et de rêver avec nostalgie des jours anciens, il s'en retournait chez lui, lorsqu'une ombre cacha momentanément l'éclat de l'astre de la nuit. Surpris par cette obscurité de courte période, il fixa la voûte céleste. De lourds nuages assombrissaient les cieux. « De la pluie, se dit-il. Demain, c'est la fête de Launa. Comme c'est malheureux !

Il va falloir annuler la course des dragnards. La pauvre, elle y tient tellement. » Puis il se ravisa. Non, ce n'était pas des nuages ordinaires. Il frissonna. Ces nimbus se déplaçaient à faible vitesse en suivant un parcours circulaire. L'Envahisseur serait-il de retour ? Le dôme de protection serait-il brisé ? Son sang se glaça. Le pays était à nouveau pénétré par une force hostile.

CHAPITRE I

LES PRÉPARATIFS DE LA FÊTE

Nous sommes le 1er septembre de l'an 150 de l'ère du roi Wilbras I.

À 6h du matin, au domaine Dagibold, il y avait de l'excitation dans l'air. Le jeune Andrick, âgé de 11 ans, allait pour la première fois concourir à une course de dragnards, des animaux faisant penser à un curieux mélange d'un renard énorme et d'une bête imaginaire connue sous le nom de dragon.

– Mère, n'est-ce pas merveilleux ? demanda-t-il une énième fois.

— Oui, Andrick, répondit Pacifida, épuisée.

Elle aurait bien voulu préparer toute la nourriture à emporter d'un coup de baguette, mais l'Interdiction ne le permettait pas. Depuis le règne de Wilbras I que cela durait. Elle maugréa quelques mauvais mots. Son conjoint O'Neil, tout près d'elle, l'entendit. Il n'apprécia pas son humeur massacrante.

— Ce n'est pas la magie qui est la solution à tout. Le temps sait arranger les choses.

— Qu'est-ce que tu en sais ? D'un coup de baguette, j'aurais pu préparer toute cette nourriture en quelques minutes. Au lieu de cela, il a fallu que je me lève deux heures plus tôt.

— Oui, mais l'amour que tu y mets...

— L'amour ? Voyons donc ! Je suis fatiguée, c'est plutôt de la haine que j'y mets. Heureusement que c'est fini et que ça n'arrive qu'une fois l'an.

— Bien dit. Et tu pourras te reposer à ton aise. Vois comment les enfants sont heureux d'y aller. C'est ta récompense.

En effet, les deux plus vieux, Éloïse et Melvin, riaient tout en mettant en cage de charmants petits dragnards, aussi petits que des minets. Quant à Nina et Andrick, les deux jumeaux, ils se chamaillaient comme à l'accoutumée.

— Hé, cria O'Neil, ça suffit vous deux. Si vous continuez à vous disputer, l'un de vous deux restera ici.

— Tant mieux, répondit Andrick, ce sera Nina, l'agaçante.

Nina saisit une poignée de terre et la lui lança en plein visage. Andrick la reçut directement dans les yeux. Il hurla de souffrance.

— Aïe ! mes yeux, espèce de chipie ! Attends que j'aille mieux. Tes minutes sont comptées !

Nina riait et l'excitait en courant autour de lui. Il était incapable de l'arrêter de tournoyer. Il s'était frotté les yeux et la situation ne s'était pas améliorée.

— Mère, faites quelque chose, ça brûle.

Pacifida regarda son mari. Il devina son intention. Il soupira et hocha la tête. Elle sortit un objet de son étui, accroché à sa ceinture et fit cesser les douleurs d'Andrick.

— Ah ! merci mère, quel soulagement !

Il avait encore les yeux rouges et larmoyants, mais le sable dans les yeux avait disparu. Nina cessa sa course effrénée lorsqu'elle perçut le regard froid de son père. Elle savait ce qui s'en venait. La punition.

Est-ce qu'elle devrait rester à la maison? Surtout pas, elle se faisait une joie de sortir et de participer à la course. O'Neil les empoigna tous les deux par le cou et serra.

— Qu'est-ce que j'ai dit?

Personne ne répondit. Il serra plus fort. Nina et Andrick prirent une teinte rougeâtre et commencèrent à toussoter.

— O'Neil, mon amour, lâche-les, tu vois bien qu'ils ne faisaient que s'amuser.

— C'est vrai père, répondit Éloïse.

— Bon sang! Ils ne pourraient pas se comporter comme des enfants normaux, dit-il en les lâchant. Je vous avertis, à la prochaine bévue de votre part, vous retournez à la maison sur le champ. M'avez-vous compris?

Tous les deux bêlèrent un oui. Ils comprirent qu'il valait mieux être sage. Depuis leur naissance, ils aimaient s'agacer et ce n'était pas aujourd'hui que cela allait cesser, mais aujourd'hui n'était pas un jour ordinaire. Tous les deux participeraient à la course des dragnards. Pour Nina, c'était la seconde fois, tandis qu'Andrick, s'ayant cassé le bras l'année d'avant à cause de sa trop grande excitation en trébuchant dans l'escalier, n'avait pu y participer. À sa grande consternation, son père, un hobereau, avait empêché sa conjointe d'exercer le Grand Art, la magie, interdite depuis 150 ans.

Nina et Andrick remarquèrent les mines défaites de leurs parents et de leurs frère et sœur. Ils étaient des rabat-joie. Même Pacifida aurait espéré se joindre à eux. Mais, il fallait bien qu'une personne demeure au domaine pour nourrir les animaux qui restaient. Elle soupira.

À des centaines de kilomètres de là, la grosse horloge de la salle principale du château indiquait 9 h 30. Il y avait une telle fébrilité à l'intérieur et aux abords du palais royal que le bruit, parvenant aux oreilles de la princesse Launa, ressemblait à un essaim d'abeilles s'attaquant à un adversaire. Pourtant, ce bourdonnement la réjouissait. Brosse à la main, sa mère, Morina, pénétra dans la pièce.

À l'extérieur, le temps était magnifique. Une journée parfaite, une journée sans nuages. Sauf un, gigantesque et sombre, survolant le château à pas de tortue. Malgré son allure préoccupante, les troubadours chantaient, les enfants s'amusaient et de nombreuses gens trimaient dur pour que la fête de Launa soit des plus réussies. Un seul l'observait avec anxiété. Éxir n'avait pas fermé l'œil de la nuit. Depuis la veille, il l'examinait et le suivait. Tôt ce matin, ce nuage s'était amusé à rôder près du château. Le comportement bizarre de ce nimbus ne le rassurait pas. Pourquoi s'était-il dirigé vers le château ? Cet errement l'intriguait.

Heureusement pour les autres, personne ne s'en souciait. Tout le peuple s'était réuni au pied du château et s'apprêtait à fêter les 11 ans de Launa. Ce château était d'ailleurs fort joli. Il était construit sur du roc et comportait quatre tours immenses, chacune décorée d'une dizaine de tourelles, coiffée d'une toiture conique d'un bleu lapis. Pour l'occasion, de multiples banderoles étaient suspendues aux abords des murailles et des milliers de bougies étaient parsemées le long de la douve.

Non loin de là, dans une aire tranquille entourée de pins et près de l'écurie royale, O'Neil Dagibold et ses quatre enfants construisaient un enclos temporaire, en cordes et en pieux, pour loger les dragnards de tous les compétiteurs. Chaque année, il se voyait confier ce rôle. Tout était fin prêt. O'Neil et l'aîné de la famille, Melvin, passaient en revue chacun des pieux de la clôture. Éloïse, la cadette de quelques années de Melvin, tenait ouverte la barrière, tandis que les deux plus jeunes, Nina et Andrick, tous deux âgés de 11 ans, couraient derrière le troupeau pour le faire pénétrer dans l'enclos, en criant des grands Yep Yep. Sire Dagibold était un riche marchand et éleveur, seul à posséder les connaissances poussées de la reproduction et du dressage de ces admirables bêtes. De père en fils, la tradition s'était perpétuée. Pourtant, un doute subsistait concernant leur origine. Les Anciens, vivant en régions montagneuses, affirmaient que les dragnards étaient un croisement de renards et de dragons. Cette affirmation le hérissait au plus haut point. Il s'évertuait à la démentir face à toute personne qui répétait cette ânerie. « Comment pouvait-il être question de croiser des dragons avec des renards, puisque les dragons n'ont jamais existé ! » s'exclamait-il sur un ton enflammé.

Il était bien sûr la seule personne fiable du pays pouvant confirmer qu'ils proviennent d'une espèce unique n'ayant rien à voir avec les renards ou les dragons. Les dragnards ont une belle fourrure douce comme les renards et ont la propriété de voler comme les prétendus dragons, inventés de toutes pièces par Les Anciens, des chevaliers qui parcouraient à certains moments les terres du Dorado. Ce sont de magnifiques bêtes douces, dociles et uniques en leur genre.

O'Neil vérifiait la solidité de la clôture et s'esclaffa.

— Qu'est-ce qui vous faire rire, père ? demanda Melvin juste à côté de lui.

— Rien, mon fils.

— Vraiment, père ?

O'Neil interrompit son travail et reprit son sérieux.

— C'est ce qu'on raconte sur les origines des dragnards.

— Comme quoi ?

Éloïse ferma la barrière. Les animaux étaient maintenant en sécurité. L'enclos était trop petit pour qu'ils puissent allonger leurs ailes et voler. Nina et Andrick gambadèrent vers leur père.

— Hum... ce sera pour une autre fois, répondit-il. Voilà, les enfants !

Melvin détestait le silence de son père. Il commençait une phrase et trouvait une excuse pour ne pas la finir. Depuis qu'il était accompagné de son fils, pour les tâches de reproduction et de dressage, O'Neil ne faisait aucun effort pour divulguer ses connaissances. Un jour ou l'autre, il faudrait bien qu'il se confie à son fils aîné. Ce serait la moindre des choses. Frustré, Melvin prit une brosse et sauta dans l'enclos pour les frictionner.

O'Neil croyait dur comme fer que les dragons étaient des animaux imaginés de toutes pièces par les Anciens. D'après eux, c'étaient des animaux immenses crachant du feu et recouverts d'écailles dures et coupantes. Quelle galéjade ! Qui pouvait entreprendre une chevauchée sur l'un de ces étranges animaux sans se blesser ? Comment pouvait-on l'enfourcher sans se couper sur ses écailles tranchantes et sans tomber ? Absolument personne, se dit-il en caressant à travers la clôture la fourrure confortable et soyeuse d'une des bêtes.

C'est ainsi qu'O'Neil pensait. Pire encore, la confrérie du Grand Art radotait l'existence de ces monstres. Il était mal placé pour contredire cette théorie. Sa propre femme étant une fée, elle faisait partie de cette confrérie. D'ailleurs, il l'avait surprise à quelques reprises en train d'effectuer des tours de magie et cela, malgré l'Interdiction. Si cela se savait, elle serait châtiée. Sa douce Pacifida serait accusée de pratiquer le Grand Art et serait pendue haut et court. Il en frissonnait d'effroi. Perdre sa douce Pacifida était inimaginable. Sans lui avouer ses manquements, à certaines occasions il lui rappelait l'Interdiction. Elle se contentait de rougir et de baisser les yeux.

Sa conjointe lui avait fait quatre beaux enfants, admirés, tous dans l'enclos en ce moment, en train de brosser et de nourrir les animaux.

Andrick était particulièrement excité. Il n'avait pas fermé l'œil depuis deux nuits. Pour la première fois, il allait participer à la plus spectaculaire compétition des dragnards et montrer à tous qu'il était le meilleur cavalier. Il ne tenait plus en place. N'était-il pas le fils du plus grand éleveur de dragnards ? L'année dernière, sa sœur jumelle avait pu participer, mais pas lui, car il s'était cassé le bras juste une journée avant la compétition. Et qui avait remporté la course ? La fille du roi. Peuh! se dit-il, sa sœur n'avait pas eu le courage de la dépasser et elle l'avait sûrement laissée gagner par complaisance. La fille du roi, il ne la connaissait pas. Elle devait être laide comme un crapaud et tous ont eu pitié d'elle et l'ont laissée remporter la victoire. Il n'en sera pas ainsi cette année, se répétait-il.

Melvin et Éloïse lui avaient aussi parlé de la foire. Tous les deux lui avaient décrit des choses étranges, des vendeurs drôlement vêtus, des étals bizarres. Ces gens venaient de très loin, aux limites de l'horizon. Des gens qu'on appelait les Anciens, des gens du domaine des Forges qui avaient fui la guerre et s'étaient réfugiés dans les montagnes. Là-bas, le climat était sévère. Ils n'ont pas eu peur de gravir ces flancs de montagnes et de côtoyer les loups et les grizzlis.

Elles étaient si loin et si pâles ces montagnes. De sa demeure, Andrick ne pouvait les observer que par journée claire. Il n'y voyait qu'une lisière dentelée et bleutée se confondant presque au bleu du ciel. Un jour, il avait dit à son père qu'il aimerait voler et visiter le monde de l'autre côté de ces montagnes. Andrick fut stupéfait d'apprendre que personne n'avait réussi jusqu'à maintenant cet exploit. Il eut beau questionner davantage son père, il obtint toujours la même réponse. Est-ce un rêve impossible ? Est-ce que les dragnards n'étaient pas aussi forts et aussi vaillants qu'on le prétendait, ou est-ce que la cime était si haute qu'elle rejoignait le ciel, sans que personne ni rien ne puissent traverser ces montagnes, ces crêtes inaccessibles et infranchissables ? À cet endroit, c'était la fin de la terre, la rencontre du néant. Quoi qu'il en soit, Andrick avait la nette impression qu'un jour, il les atteindrait. Une impression indéniable.

Il avait beau parler avec sa sœur de ce projet, elle lui riait en plein visage et lui disait :

— Mon pauvre Andrick, que tu peux être naïf ! Il faut être fou pour imaginer traverser ce rempart qui soutient le ciel.

À cette allégation si évidente pour tous, il répondait :

— Mais tu n'as jamais remarqué que les nuages traversent les montagnes ? Il y a bien autre chose au-delà.

Elle ne trouvait rien à ajouter. C'était certain qu'il y avait autre chose au-delà de cette lisière soutenant la voûte céleste. Mais quoi ?

Aussitôt qu'Andrick eut fini de brosser le dernier dragnard, il courut vers son paternel, qui enfonçait à tour de bras un pieu lâche avec une massue en bois.

— Père, j'ai terminé mon travail. Est-ce que je peux visiter la foire ?

O'Neil tout essoufflé déposa le lourd bâton et s'arrêta. Avant de répondre, il s'épongea le front et but une gorgée d'eau de sa gourde.

— Bien sûr, mais à une condition, que tu n'y ailles pas sans ta sœur Nina, dit-il une fois abreuvé.

Nina, qui se tenait derrière lui, s'en réjouit. Elle appliqua une formidable poussée au dos de son frère. Il tomba par terre à quelques centimètres de la massue. Rigolant, elle s'écria avant de s'élancer dans une course effrénée :

— Celui qui arrive le dernier est une mauviette.

Il se releva et galopa vers elle. Il la rattrapa en quatre enjambées et la jeta par terre. Éloïse et Melvin se tordirent de rire tandis qu'O'Neil maugréa sur un ton d'envie :

— S'ils pouvaient grandir, ces deux-là ! À leur âge, je travaillais fort sur la ferme. Mon pauvre père est mort lorsque j'avais seulement sept ans. Je suis devenu du jour au lendemain le chef de famille. Fini l'insouciance et l'aventure. Quelques années de frivolités de plus ne m'auraient pas fait de tort. Bah ! qu'ils en profitent. La vie se chargera bien de les faire vieillir assez vite.

Il reprit la massue et asséna trois autres coups ; le pieu était maintenant bien enfoncé.

À l'intérieur du château, il y avait une tout autre effervescence. Un immense banquet s'y préparait. Les serviteurs alignaient les tables et les chaises. Les domestiques astiquaient tout ce qui brillait : miroir, chandelier, vaisselle, argenterie, beurrier, saladier et coupes de cristal. Aux cuisines, le chef et les marmitons s'affairèrent à préparer une nourriture digne d'un roi. Rien n'était négligé. Les mets les plus sophistiqués s'empilèrent sur les tables. Adjacente à cette salle de banquet se trouvait la cour intérieure.

Des chaises et des fauteuils pour les musiciens étaient disposés en rond autour d'une scène, laquelle accueillerait tous ceux qui voudraient bien danser la farandole en soirée.

Du haut de la tourelle est du château, la reine Morina brossait les longs cheveux blonds de sa fille Launa. La jeune princesse avait de la difficulté à rester en place. Les deux mains appuyées sur le rebord de la fenêtre, elle se pencha et aperçut ainsi les enfants jouant de l'autre côté de la douve.

— Launa, cesse de bouger, je n'y arriverai jamais, ordonna Morina.

Launa ne l'écouta pas. Elle continuait à sautiller et à se balancer au-dessus du rebord de fenêtre. Ses yeux pétillaient d'impatience en voyant les enfants jeter à l'eau de minuscules bateaux faits en bois. D'autres se lançaient des ballons, faits de vessies de bœuf, et partaient à courir pour conserver le ballon entre leurs mains le plus longtemps possible. Les parents encourageaient leur progéniture en agitant des crécelles assourdissantes.

Un peu plus loin, des centaines de villageois chantaient et dansaient. Près d'eux, des musiciens jouaient du luth, du cromorne et de la vielle à archet à cinq cordes. Des dames en retrait pratiquaient du psaltérion, un instrument de musique à cordes pincées, de forme triangulaire. La cacophonie battait son plein. Personne ne se souciait de ce vacarme. Au contraire, les invités frétillaient et poussaient des cris de joie. Le pont-levis était abaissé et les gens se promenaient librement sur la passerelle. Des serviteurs du palais mettaient en place les derniers composants de l'estrade extérieure pour le spectacle d'entrée et la course des dragnards. Cette compétition était l'événement le plus couru du pays.

Juste en bas, une trentaine de fées et de magiciens, vêtus de leur longue robe, marchaient d'un pas solennel le long de la douve entourant le château. Ils ne se mêlaient pas avec cette foule grouillante et animée. Ils préféraient se rassembler en petits groupes et bavarder doucement. La reine Morina, elle-même une fée, jetait de temps à autre un coup d'œil tout en brossant les cheveux de sa fille. Elle était désireuse de rencontrer dès que possible sa parenté et ses amies d'enfance.

— Mère, allez-vous bientôt finir ? demanda Launa.

La croyance veut que 100 coups de brosse par jour procurent une chevelure saine et abondante. Pour cette raison, la reine se pliait à cette tâche avec diligence pour sa fille.

— Quatre-vingt-dix-sept, quatre-vingt-dix-huit, quatre-vingt-dix-neuf et cent. Voilà, c'est fini.

— Ce n'est pas trop tôt, cria Launa.

Libérée, Launa se pencha dangereusement au-dessus de la fenêtre pour voir davantage. Ainsi inclinée, elle pouvait admirer les grandes banderoles qui flottaient à l'extérieur du château Mysriak. Morina s'inquiéta de la voir ainsi penchée. À son avis, elle risquait de tomber.

— Doucement, mon enfant, s'écria Morina prête à intervenir.

Launa s'étira davantage. Au loin, elle voyait un campement de marchands avec leurs étals. Il y avait de nombreuses tentes en peaux de daims, aux formes et aux couleurs multiples, où se tenaient des diseuses de bonne aventure et des conteurs. Des gens qu'on voyait rarement. Ils descendaient des montagnes à de rares occasions. Ils étaient de nature bruyante et joyeuse. Près de là, une ribambelle d'enfants sautaient et criaient. On surnommait ces gens les Anciens. Launa se demandait si ce nom provenait de leurs accoutrements bizarres faits de peaux et de fourrures. Depuis très longtemps, les Doradois portent des vêtements tissés, beaucoup plus faciles à nettoyer et surtout plus légers.

Elle les voyait regroupés en train de cuire des aliments. « Quelle horreur ! se dit-elle, en voyant un agneau entier rôtir sur une broche. Je préfère de loin manger des galettes de sarrasin plutôt que de la viande. » Puis ses yeux se portèrent de nouveau sur les gens tout près de la douve et du pont-levis. Il y avait une telle animation qu'elle se plut à les regarder, tout ce peuple étant heureux. Satisfaite, Launa se redressa. Elle vit sa mère au visage pâle et effrayé. Elle s'esclaffa.

— Ma chère mère, dans quelques heures, je chevaucherai mon dragnard. Je ne veux point vous alarmer, mère, mais Frenzo vole plus haut que cette fenêtre.

Hélas, ce n'était que trop vrai ! Autrefois, Morina était une excellente cavalière et n'avait pas peur d'effectuer de nombreux piqués vertigineux et vrilles avec son dragnard Féerie. Elle sourit à Launa. Telle mère, telle fille.

— Tu as raison, ma chérie. Je m'affole pour rien. Tu es une excellente cavalière, comme moi et ma bonne amie Pacifida.

Elle s'approcha de la fenêtre et jeta un regard en bas. Depuis qu'elle était reine, elle n'avait guère galopé avec Féerie et s'était très peu baladée à l'extérieur du château, seule ou avec des compagnes. C'était son seul regret, ce manque de liberté. Elle admira avec fierté sa fille et oublia momentanément ses souvenirs de jeunesse pour se concentrer sur ses devoirs de reine. Elle oubliait même les joies que lui procurait le fait de fouler le sol entre les tentes et les étals des Anciens. Elle qui aimait toucher à tout, de la fourrure jusqu'aux babioles étranges. Elle qui aimait sentir les parfums des régions lointaines, l'odeur âcre des sapins, l'odeur musquée de la viande grillée et celle, sucrée, des limonades de sureaux. Elle soupira.

CHAPITRE 2

ARMÉRANDA

Le 1er septembre coïncidait non seulcmenl avec la date de naissance de la princesse Launa, mais aussi avec une fête désignée sous le nom de Bienfaits dc la Terre et instaurée depuis plus d'un siècle. Un mois avant cette date, les évaluateurs royaux parcouraient tout le Dorado du nord au sud et de l'est à l'ouest. Leur mission consistait à juger l'état des récoltes. Les résultats étaient compilés et communiqués au souverain le 31 août. Le lendemain, le roi divulgait ces résultats en grande pompe au peuple autour d'un repas grandiose accompagné de musique.

Depuis quelques décennies, les récoltes étaient plus qu'acceptables, ce qui fit en sorte que ce jour était devenu de plus en plus festif. La joie de la population se manifestait tapageusement, au grand plaisir de la famille royale.

Récemment, en plus d'un immense banquet pour tout le peuple, était organisée une course de dragnards n'ayant que de jeunes cavaliers et cavalières âgés de 10 à 13 ans. Pour la première fois, l'année dernière, un membre de la famille royale y prenait part. Dès sa première compétition, la princesse Launa l'avait emporté. Fort heureux de cette victoire, le roi eut l'idée d'ajouter une nouveauté, un spectacle d'ouverture laissé à la discrétion de la famille Dagibold, le seul éleveur de dragnards dans tout le Dorado.

À une heure plus que matinale, une foule grouillante s'était réunie autour du château. Par la fenêtre d'une des tours, Morina détacha son regard de cette masse de gens tapageurs et s'approcha de sa fille. De sa main droite, elle lui souleva le menton.

– Déjà 11 ans, ma belle, dit Morina. Tu seras bientôt une femme ou une fée comme moi.

Morina l'amena près de la commode, saisit un joli ruban blanc immaculé et lia les cheveux de sa fille au niveau de la nuque. Launa s'admira. Le miroir de table lui renvoyait l'image d'une très belle et jeune femme au visage serein.

— Qu'est-ce qui fait que l'on devient une femme ou une fée, mère ?

— Nul ne sait. Ton père est un humain et moi une fée. Ta sœur Naura et ton frère Wilbras VI ne sont ni des fées ni des magiciens et ils ne le seront jamais. Après 13 ans, nul n'est devenu un magicien ou une fée. Il ne reste que toi et Éloy dont on ne sait si vous avez le potentiel de le devenir. Lorsqu'on le saura, il faudra apprendre à contrôler vos pouvoirs magiques. Comme tu le sais, ma chère enfant, la magie est défendue. Ton père se fait un devoir de me le rappeler.

Elle tira sur la boucle du ruban et plaça les cheveux noués en catogan. Elle s'imagina qu'un jour elle serait appelée à défendre le pays. Elle se plaisait à croire que seuls des enchantements pourraient sauver le pays. Elle surprit son image joyeuse et la figure étonnée de sa fille.

— Il est très dangereux de se servir de ce pouvoir sans des connaissances appropriées. Dès que tu seras devenue une jolie fée, tu commenceras ton apprentissage chez Éxir, le doyen des enchanteurs.

Launa se souvint de ce magicien grand et mince, à la chevelure abondante et noire. Il parlait peu et riait encore moins. Launa exprima du dégoût. Cet apprentissage avec cet homme si sérieux ne l'enthousiasmait pas. Mais l'idée d'être une fée et de pouvoir voler de ses propres ailes la réjouissait. « Mais quand le serai-je ? À 13 ans pile ou un peu avant ? » se demanda-t-elle.

— Mère chérie, dites-moi comment le passage d'une personne tout à fait ordinaire à une fée jolie et élégante comme vous s'effectuera ?

— Tu le sauras, crois-moi, tu le sauras. Lorsque tu auras 13 ans, de belles grandes ailes apparaîtront, affirma-t-elle.

— Quoique … chuchota-t-elle.

La reine hésitait à poursuivre. En fait, la possibilité de devenir une fée était présente dès maintenant. Cette métamorphose pouvait survenir dans la seconde ou au plus tard, à la fin de ses 12 ans, mais jamais après 13 ans.

Launa perçut qu'elle ne disait pas tout. Elle n'était plus pressée de rejoindre la foule. Elle voulait en savoir plus. En conséquence, elle répliqua :

– Dans deux ans, ma mère, c'est long. Vous ne pourriez pas me dire comment je le saurais ? Est-ce que ça risque d'être douloureux, ce passage ? Est-ce que j'aurai des ailes aussi belles et aussi grandes que vous, mère ? Est-ce qu'elles se déploieront en un jour ou en plusieurs jours… ?

Morina demeura silencieuse. Elle versa une larme à l'insu de sa fille. Elle le savait. Ce passage d'une enfant ayant un père humain et une mère fée était extrêmement souffrant et pouvait durer quelques heures ou des jours. La naissance de ses ailes et de son déploiement provoquerait deux longues déchirures, partant de l'omoplate jusqu'au bas du dos, et le sang se répandrait, provoquant une douleur fulgurante. Pour les garçons, le passage était moins extrême. Du moins, c'est ce que pensait Morina. Les pieds et les mains s'allongeraient de plusieurs centimètres et leur taille augmenterait d'autant en quelques heures. Le visage se transformerait et le nez s'allongerait. Parfois, les oreilles s'étiraient. Ils auraient l'impression que leurs os se cassent et se reconstruisent, mais rien de plus. Pas de déchirures ni de sang, juste beaucoup d'inconfort. Morina ne voulait pas inquiéter sa fille. Elle essuya discrètement ses larmes avec un mouchoir en lin fin avant de se retourner vers Launa.

— Oui, ma chérie, tu auras de magnifiques ailes, dit-elle d'une voix rassurante.

— Et vous, ma mère chérie, comment l'avez-vous su ? demanda-t-elle en encerclant de ses bras la fine taille de sa mère. Ses longues ailes bleutées et transparentes étaient repliées le long de son dos.

— Moi, ce n'est pas la même chose, je suis née d'un père magicien et d'une mère fée. Inévitablement, dès ma naissance, j'avais des pouvoirs et des ailes.

— Ah oui, grand-papa Erlos et grand-maman Ornémone, tous les deux décédés le jour de l'Événement.

— L'Événement, reprit Morina tout attristée en desserrant les bras chéris de sa fille et en déposant la brosse sur la commode.

Un nuage noir passa et assombrit la pièce. Intriguée, Launa courut à la fenêtre. Un violent coup de vent fit claquer les banderoles, soulever les vêtements de la gent féminine et renverser de nombreuses chaises. Ce gros nuage disparut aussi vite qu'il était apparu et tout redevint calme. Le ciel était à nouveau au beau fixe. Encore une fois, nul ne s'inquiéta outre mesure de ce phénomène.

— Alors, pourquoi avez-vous épousé un humain? demanda soudainement Launa avec une pointe de méchanceté.

— Ma chérie, ma princesse, je te l'ai dit mille fois. Parce que j'ai été attirée par ton père, dit-elle en caressant la chevelure dorée de sa fille, se dégageant d'elle ensuite avec rudesse.

— Pourquoi? renchérit Launa, pour qui cette explication semblait dénuée de sens. Pourquoi ne vous êtes-vous pas mariée avec un magicien? Ainsi, mère, dès ma naissance, j'aurais été une fée et je n'aurais pas à attendre jusqu'à mes 13 ans. Naura serait une fée et Wilbras VI, un magicien. Pourquoi, mère, avoir épousé un humain?

Launa tourna le dos à sa mère. Elle avait dit ce qu'elle avait sur le cœur depuis plusieurs années. Elle ne comprenait pas que sa mère soit si faible. Elle n'aspirait pas au pouvoir et pourtant, elle était souveraine. Elle avait cette même simplicité auprès de ses serviteurs. Toute cette modestie l'horripilait.

Pendant ce temps, Andrick savourait les lieux. Nina et lui avaient un peu de temps libre avant la course. Il en profita pour visiter les alentours du château. La construction était impressionnante. Il n'avait jamais vu quelque chose d'aussi beau. Puis, il fut attiré par un campement non loin de là. Il s'approcha, intrigué par l'accoutrement des gens et les étals colorés.

Il admira des objets étranges. Des flûtes faites d'ossements cirés et colorés. Des lampes en écailles de pin. Des gommes et autres friandises. Enfin, il s'arrêta devant une tente où étaient suspendues, sur des fils, des fourrures de toutes sortes et de couleurs différentes. Il était outré et charmé à la fois. Outré que l'on tue des animaux pour leur pelage et charmé par la finesse de la fourrure. Il y avait un manteau qui le titilla. Un manteau d'un rouge éclatant, très long et avec une capuche. Une couleur intrigante. Il l'essaya et fut ravi de se sentir confortable. « Il me va comme un gant », pensa-t-il. La couleur était parfaite. Il allongea les bras, roula les épaules, les plaça le long de son corps et fit de grands pas. Ce manteau était souple et doux et surtout très chaud. Il lui collait à la peau comme une seconde peau. Avec regret, il le remit à sa place. Il n'en connaissait pas le prix. La fourrure était d'une souplesse et d'une douceur à rendre fous les anges. Il se mordit la lèvre inférieure. Il n'avait pas les moyens de l'acheter. Sa sœur Nina, qui avait croqué la scène, rit de lui.

— Qu'y a-t-il de drôle ? demanda Andrick.

— Je ne te vois pas avec ce manteau. La fourrure, ce n'est pas pour nous. Seuls le roi et la reine peuvent en porter. Il y a bien sûr les magiciens et les fées qui en portent, mais à de très rares occasions… hum… en de trop rares occasions.

Ce qui était vrai. Les Doradois ne tuaient aucun animal pour se nourrir. De fait, ils ne mangeaient que de la nourriture végétarienne et du poisson. Ils ne portaient aucune fourrure, à part du cuir à leurs chaussures et à leur ceinture, un cuir provenant d'animaux morts de vieillesse ou blessés mortellement.

— Et tu vas me dire que je ne suis pas un magicien ?

Il fit quelques gestes spectaculaires en prononçant d'une voix grave des mots dénudés de sens. Ni fumée, ni lapin n'apparurent. Nina pouffa de rire.

— Tu vois ! T'es rien qu'un gars bien ordinaire.

— N'empêche que je peux en rêver.

Un mot de bienvenue cristallin s'échappa d'une tente. Une splendide jeune fille sortit de sa cachette. Elle avait de grands yeux bleu turquoise et un teint caramel.

— Nous ne sommes ni rois, ni reines, ni magiciens, ni fées et pourtant, nous portons des vêtements chauds et souples, dit-elle en s'avançant de quelques pas vers eux.

Malgré le temps clément, elle portait une veste en cuir jaune ocre, ornée au col et aux manches de fourrure de la même couleur que ses yeux. À son cou, de multiples colliers de pierres, couleur de turquoise, s'entrechoquaient à chaque pas qu'elle effectuait. Elle avait le port d'une princesse. Andrick lui sourit. Il aimait ce visage à la carnation bronzée et aux yeux clairs.

— Qui êtes-vous?

— On nous appelle les Anciens, mais de fait, depuis des générations, nous sommes des chevaliers habitant les montagnes, un lieu très froid. Crois-moi, un manteau comme celui-là n'est pas du luxe, mais bien une nécessité, fit-elle en passant ses longs doigts sur la manche du manteau convoité par Andrick.

— Des chevaliers, répéta Andrick.

— Oui, des chevaliers.

— Jamais entendu parler de ça, dirent en chœur Andrick et Nina.

— Les chevaliers de l'Actinide du royaume des Forges. Un jour, ils reviendront, dit la jeune fille en pointant le ciel, et vous aurez besoin de nous.

Elle était toute menue. Elle avait de longues tresses encadrant un visage plein de confiance. Bondissant vers Andrick, elle lui saisit la main et la tira vers elle. Pendant quelques instants, elle examina cette main beaucoup plus blanche que la sienne. Elle la retourna et examina les lignes de la main. Andrick, intrigué par ses agissements, se mit à rire.

— Mais qu'est-ce que tu fais ?

— Je lis ta main, répondit-elle d'une voix concentrée.

— Tu lis… et qu'est-ce que tu vois ?

— De grandes choses, tu accompliras de grandes choses.

Il aurait voulu en savoir davantage, mais des tambours se firent entendre, puis de nombreuses trompettes résonnèrent. C'était l'heure pour les cavaliers de se présenter. Nerveusement, Andrick retira sa main.

— Vite, cria Nina en tirant sur sa manche. Il faut y aller.

Quelque chose le retenait. Ses pieds étaient soudés au sol. Il aurait voulu en savoir plus sur les chevaliers de l'Actinide. Quelle était la signification des mots chevaliers et Actinide ? Des mots n'ayant aucun sens. Et puis ce « ils ». « Ils reviendront. » Nina se fit insistante. Elle saisit son bras et le tira.

— Nous devons nous placer, Andrick, bouge par la salive de bouc !

À regret, Andrick se résolut à la suivre. Quelques secondes plus tard, il se retourna. Elle était toujours là, dans l'ouverture de la porte de la tente.

— Comment t'appelles-tu ? lui lança-t-il.

— Arméranda.

Arméranda. Ce nom sonnait doux à ses oreilles. Un nom qui sonnait princier. Et si elle était une princesse venue des lointaines contrées, du rempart soutenant le ciel ? Des centaines de questions lui vinrent à l'esprit. Malheureusement, il devait partir. Qu'à cela ne tienne, il reviendrait après la course, en héros, avec la coupe du Dragon d'or entre les mains.

— Au revoir, Arméranda, s'époumona-t-il à lui dire.

— Au revoir, hurla-t-elle en décrochant le manteau rouge, je te le garde. Il est pour toi. Tu en auras grand besoin très bientôt.

Elle ne le quitta pas des yeux. Ils étaient tous les deux attirés l'un vers l'autre.

— Foi de crapaud ! ajouta-t-elle en crachant par terre et en le foulant de son pied gauche.

Andrick resta interdit. Drôle de geste pour une jeune fille si élégante.

— Ça porte chance, affirma-t-elle.

Il cligna des yeux. Elle disparut avec le manteau. Il cracha et l'étala du pied gauche, exactement comme Arméranda. Il y avait dans ses paroles quelque chose d'invraisemblable et de vrai, comme une mission, une aventure, comme l'accomplissement de sa destinée. Pareil à une gazelle, il courut rejoindre Nina, qui était déjà une trentaine de mètres plus loin.

CHAPITRE 3

TOURS D'ADRESSE

– Pourquoi, mère, ne me répondez-vous pas ? Pourquoi avoir épousé un humain alors qu'un magicien... ? s'entêtait à demander Launa à sa mère.

Elle n'eut pas le temps de compléter sa phrase. Quelqu'un entrait.

– Ah ! Que tu es belle, s'exclama-t-il en s'adressant à Launa.

C'était son père, le bon roi Wilbras V. C'était un homme solide et plein de bonté. Il avait revêtu son costume d'apparat en velours rouge, sa longue toge en fourrure blanche et sa couronne en or massif orné de nombreux rubis. À 40 ans, sa tignasse autrefois noire était maintenant poivre et sel. Il avait tout de même conservé une taille svelte. Sa femme Morina, qui avait 153 ans, paraissait n'en avoir que 16. C'est l'avantage d'être une fée vivant plus longtemps que les humains.

Malgré ce fait, elles ont très peu d'enfants, à peine quatre ou cinq. Pour Morina, c'était une contrariété affligeante. Après quatre enfants, elle n'a plus eu le bonheur d'enfanter. Elle aurait tant aimé avoir une bonne douzaine d'enfants comme la plupart des habitants. Elle n'est pas mécontente que Naura ne soit pas une fée. Elle pourra enfanter comme les hobereaux et en avoir au moins douze. Ainsi, Morina aura beaucoup de petits-enfants. Sa longue vie lui permettra de les gâter. Elle sera fière de sa progéniture.

En voyant son père, Launa lui sauta au cou et l'embrassa. Heureuse de sa toilette, elle se redressa et parada. Elle portait une longue robe blanche toute en dentelles, en mousseline et en organdi, agrémentée d'une courte traîne. Elle fit un tour sur elle-même, puis s'inclina devant lui. Il tendit sa main et elle baisa cette large main douce qui n'avait jamais peiné à de durs travaux.

— Lady, mon épouse, tu n'aurais pas dû l'habiller ainsi, elle ne pourra pas participer à la compétition cet après-midi. Certes, la robe est très jolie, mais il y a beaucoup trop de volants, de jupes et en plus, elle est beaucoup trop longue. Ton dragnard va s'étrangler avec tous ces trucs flottants et cette masse de tissus.

— Bien sûr, père, je vais me changer avant la compétition. Je ne veux pas que Frenzo s'étouffe, dit Launa en riant et en se dressant sur le bout des pieds pour embrasser à nouveau son père.

Une course de dragnards était organisée chaque année, depuis 11 ans, depuis la naissance de la princesse. Frenzo, le dragnard de Launa, était une bête magnifique au pelage noir bleu et aux ailes immenses. Il volait très haut, avec puissance et précision. Il effectuait des virages serrés et périlleux, sans toutefois mettre en danger sa cavalière. L'année passée, dès leur première compétition, Launa et Frenzo s'étaient mérité la coupe du Dragon d'or, à la grande joie du souverain. Wilbras V admirait la compétitivité de sa fille. Puis, il tourna son regard vers son épouse. Elle était d'une élégance digne d'une reine. Elle avait revêtu une somptueuse robe en velours bleu royal, ornée de liserés argentés et des bijoux de circonstances. Sauf qu'au lieu de sa couronne de reine, lourde et amplement décorée de pierres précieuses, elle portait un diadème en argent, orné d'une vingtaine de diamants, et des pendentifs en forme de gouttes d'eau. Un léger voile blanc entourait ses bras et une partie de ses magnifiques ailes. Wilbras V éprouvait beaucoup d'amour pour sa reine et désirait que les fêtes soient des plus remarquables pour l'émerveiller.

— Le festin sera somptueux, ma douce. Personne ne se plaindra d'un manque de nourriture. Nos artisans ont travaillé avec zèle cette année. De plus, le temps est magnifique. Quelle bonne idée tu as eue, Morina, de fêter les Bienfaits de la Terre en même temps que l'anniversaire de Launa ! Je crois que Launa sera une grande fée qui dirigera le royaume. Et elle se trouvera un bon parti, un bon magicien, pas un humain comme moi qui vieillit et qui va mourir dans une vingtaine d'années.

— Mon amour, ne dis pas ça. À mes yeux, tu es toujours aussi beau que lors de notre première rencontre, allégua-t-elle en s'élançant vers lui.

Ils s'enlacèrent et s'embrassèrent discrètement devant Launa. La princesse détourna son regard pour ne pas briser cet instant magique. Ce moment amoureux fut vite interrompu par des cris aigus. Son jeune frère Éloy, âgé de neuf ans, arriva en courant. Il tenait dans ses bras un petit dragnard tout blanc. Il n'était pas plus gros qu'un chat. Il se précipita sous l'ample robe de la princesse. À peine quelques secondes plus tard, Naura, l'aînée de la famille, pénétra dans la pièce en hurlant.

— Espèce de petit voyou, où te caches-tu ? Attends que je te trouve, je vais t'arracher les yeux. Ah ! Si j'avais des pouvoirs, tes fesses rôtiraient dès maintenant, hurla-t-elle.

— Où es mon gentil Bichou ? Bichou, Bichou, ajouta-t-elle d'une voix geignarde.

Elle le cherchait partout, sous la commode, dans les placards, rien. Tout le monde était figé et avait un air amusé.

— Père, ne pourriez-vous pas m'aider au lieu de me voir en furie contre ce sacripant de frère ?

— Ma chérie, Éloy ne veut que s'amuser. Plus tu te fâches et plus ça l'amuse. Crois-moi, ma douce Naura, ton Bichou est en sécurité. Éloy ne veut pas lui faire du mal, il veut juste un peu d'attention.

Bichou émit de petits cris. Naura se dirigea vers Launa et souleva sa robe. Elle aperçut son frère recroquevillé sous la traîne. Naura le tira par le bras et reprit son Bichou. Elle en profita pour glisser un coup de pieds sous ses fesses. Il se mit à hurler comme un putois et à se rouler par terre. Tout ça, ce n'était que de la comédie. Le bon roi Wilbras V, Morina et Launa se mirent à rire. Naura en fut offusquée et quitta la pièce de mauvaise humeur en emportant son dragnard. Lors de sa course, elle avait brisé un talon d'un de ses escarpins. Elle clopinait. Éloy la suivit en se dandinant comme sa soeur. Launa et Morina s'esclaffèrent, ce qui fit râler Naura. Dès qu'ils furent assez loin, Wilbras V soupira.

— Qu'est-ce qu'il y a, mon doux mari ?

— Ah ! c'est ma fille Naura. Je me fais du souci pour elle.

Il ajouta en chuchotant pour que Launa n'entende pas :

— Ma douce, elle a 18 ans et elle me donne l'impression qu'elle n'en a que 5. Depuis que je lui ai donné ce dragnard à ses 15 ans, elle ne fait plus rien d'intéressant. Ses études de maintien et bonnes manières sont un désastre et…

— Mon chéri, interrompit Morina en appliquant sa main sur sa bouche, tu te fais du souci pour rien. Elle est en âge de se marier. Dès qu'on aura trouvé un mari pour elle, tu verras, elle changera. Et puis, les études, qu'est-ce que ça donne ?

— En effet, plus personne ne veut étudier, râla le roi. Plus personne ne s'intéresse aux bonnes manières. Nous sommes la seule famille royale. À quoi bon apprendre les protocoles, les règles et les étiquettes ?

Wilbras V expira bruyamment. Il avait une grande confiance en Morina et il espérait qu'elle ait raison. Hélas ! Il n'y avait pas de prétendants nobles au pays, à part quelques riches éleveurs et marchands. Elle devra se marier avec un hobereau de la classe populaire ou avec un magicien, plutôt qu'avec un homme de son rang. Adieu, les convenances décrites dans le livre du savoir-faire, un vieux livre relatant les protocoles d'usage au temps où il y avait de nombreux rois, princes et comtes ! Il aurait tellement aimé parler avec des vis-à-vis égaux et vivre à cette époque où il existait tout un décorum.

Des tambours battirent à plein régime, accompagnés de trompettes et de clochettes. Lorsque les roulements de tambours s'arrêtèrent, un crieur annonça le début de la fête.

— Déjà 11 h, s'étonna le roi, vite Launa, il faut y aller.

Launa se pencha au-dessus d'une autre fenêtre où elle pouvait voir un attroupement de gens et de dragnards s'alignant. Bientôt, il y eut une longue filée. Chacun avait un dossard numéroté.

— Père, ils sont déjà en rang et je n'y suis pas, cria Launa.

Ils partirent au pas de course. Launa avait trop peu de temps. Le château était immense. Pour se rendre à l'entrée principale à partir de la tourelle est, il y avait des milliers de marches et une dizaine de corridors à traverser. Launa s'arrêta.

— Mère, s'écria Launa, vous ne pourriez pas faire quelque chose ? Il faut que j'aille chercher Frenzo et mon dossard à l'écurie et ensuite me mettre en ligne.

Morina comprit que sa fille suggérait d'utiliser la magie. Or, depuis plus de 150 ans, il était formellement interdit d'utiliser la magie dans le royaume sous peine de pendaison. Malgré cet interdit, certains continuaient d'exercer leur art. Morina faisait partie de ces gens, au grand dam de son mari. Bien sûr, elle l'utilisait parcimonieusement. Morina tourna un regard implorant vers lui. Celui-ci hocha faiblement la tête vers sa femme d'un air peiné.

L'honneur de la famille était en jeu. Il était hors de question que le roi, la reine et Launa soient en retard et apparaissent — devant les nombreux sujets tout essoufflés. Avec précaution, elle sortit de sa poche latérale une baguette blanche, fine et effilée. Elle la secoua deux fois, murmura quelques incantations, fit une grande spirale dans les airs et, en quelques secondes, les grandes portes dorées du balcon situées au-dessus de l'entrée du palais s'ouvrirent. Le roi et la reine apparurent aux yeux de milliers de gens rassemblés à l'extérieur du château. Les gens se soulevèrent et crièrent :

— Vive le roi, vive la reine!

Pendant ce temps, personne ne remarqua les présences soudaines de Launa et de son dragnard Frenzo, en rang avec les autres compétiteurs, du côté ouest de la foule.

Les dragnards étaient superbes. Pour l'occasion, ils étaient décorés de rubans autour du cou et portaient des armoiries sur leur flanc. Ils avaient fière allure et étaient l'emblème de tout Dorado. Partout, des banderoles illustrées de dragnards flottaient le long des rues et sur les maisons. Chaque famille avait au moins un dragnard, en raison de la générosité du roi. Wilbras V s'assurait que chaque sujet en ait un dès ses neuf ans.

Ces bêtes magnifiques, en plus de travailler aux champs et de transporter de lourdes charges, étaient des animaux affectueux et enjoués. Elles pouvaient voler très haut, virevolter dans les airs, gravir des flancs de montagnes et courir au sol. Elles ne semblaient jamais s'essouffler. L'épreuve sportive de cet après-midi était d'une importance capitale pour désigner le meilleur dragnard et le meilleur cavalier. Tous les coups étaient permis pour gagner la coupe du Dragon d'or, comme les arrêts subits, les accrochages, les barrages et même le fait de désarçonner le concurrent. Bien sûr, personne n'oserait essayer de désarçonner la fille du roi, qui est d'ailleurs une très bonne cavalière. La foule s'enorgueillissait d'admirer tous ces jeunes chevaucher avec adresse leur dragnard.

Dès sa première compétition, la jeune princesse avait gagné la coupe. Et cette année, elle s'était entraînée avec assiduité, dépassant même les dix heures par jour. Elle était sûre de gagner haut la main. Contrairement à Naura, qui n'aimait que les dragnards de compagnie et qui refusait de monter sur un si bel animal, Launa raffolait des courses depuis qu'elle était toute petite. L'année prochaine, Éloy y participerait. Il aurait 10 ans, l'âge minimum pour participer au tournoi, et Launa aurait alors 12 ans. Le roi se gonflait d'orgueil à la pensée que ses deux enfants prendraient part à cette course en même temps, une première.

Trois autres roulements de tambours annoncèrent le début de la fête. La première activité au programme consistait en l'exécution de tours d'adresse par chacun des participants, histoire de démontrer leur agilité et leurs habiletés. Le silence fut immédiat. Tous les concurrents cessèrent de bavarder et prêtèrent l'oreille. Un crieur tonitrua le premier nom :

— Princesse Launa et son vaillant dragnard Frenzo.

Elle s'agrippa au licou de Frenzo, releva ses jupons, mit un pied à l'étrier et l'enfourcha. Frenzo bascula légèrement en arrière et redressa la tête. Il étala ses formidables ailes d'un noir brillant aux reflets bleutés et les claqua d'un geste vif et puissant vers le sol. À l'instant même, il s'envola. En moins de trois mouvements, Launa et Frenzo étaient très haut dans le ciel. Il fit deux culbutes vers l'avant, un virage serré sur sa droite, s'éleva encore plus haut, fit un virage sur sa gauche avant de piquer tête première à une vitesse vertigineuse. Il atterrit au sol comme le ferait un pétale de rose échouant sur un tapis. La foule applaudit généreusement. Launa s'inclina à plusieurs reprises et se rangea de l'autre côté.

Un à un, les participants exécutèrent des tours d'adresse impressionnants et vinrent se placer en ligne à côté de Launa. Chaque fois, la foule délirait. Le huitième participant se fit remarquer par la vivacité de sa bête et les nombreuses cabrioles arrière qu'elle pouvait effectuer. Il s'agissait du jeune Andrick Dagibold et de son superbe dragnard Frivole. Il maniait sa bête avec souplesse et précision. Launa fut hypnotisée par ce spectacle, tout autant que la foule. Lorsqu'il se posa, ce fut un tonnerre d'applaudissements. Launa ne put s'empêcher de battre des mains avec enthousiasme, tout en ressentant un pincement au cœur. « Il est meilleur que moi », pensa-t-elle.

Lorsqu'Andrick passa devant Launa et la salua, Launa rougit. Elle n'avait jamais vu de si jolis yeux bleus. Andrick était un jeune homme plein d'assurance. Elle fut immédiatement impressionnée par sa démarche posée et digne. Sa belle confiance de ce matin fondit.

« Il sera un adversaire redoutable, pensa-t-elle. Quel beau dragnard ! Il a fait dix culbutes arrière en file. Du jamais vu. C'est normal, son père est un des meilleurs éleveurs et entraîneurs. Ce n'est pas juste. La compétition va être plus corsée cette année. C'est ma fête et je suis la princesse Launa. À moins que j'implore ma mère de le transformer en pierre ou d'empoisonner son dragnard. Hum... elle ne le fera pas. Elle est trop gentille et en plus, elle a bien trop peur de l'Interdiction. Saleté d'Interdiction! Quand je serai souveraine et une jolie fée, elle sera bannie, mais pour l'instant, je n'ai qu'un choix, consulter Idrex pour un plan de match. »

Andrick ne put s'empêcher d'avoir un sourire moqueur en passant vis-à-vis de Launa. Cette dernière ne le remarqua pas. « C'est elle, pensa-t-il, qui a gagné la course l'année passée. Ce n'est pas croyable. Elle a sûrement gagné par complaisance. Je suis sûr que son dragnard n'arrive pas à la cheville de Frivole. Je suis convaincu que le jury l'a laissée gagner. Ce ne sera pas le cas cette fois-ci. J'ai bien l'intention de décrocher la coupe. Et en plus, elle porte une stupide robe, hum… malgré tout, elle est plus jolie que je pensais. »

Andrick, persuadé de gagner la course, se contenta d'observer les autres concurrents le reste de l'avant-midi. Puis, vers midi, la dernière compétitrice, une jeune fille, s'envola et fit plusieurs arabesques très appréciées du public. Elle fut la dernière compétitrice. Trois coups de tambours annoncèrent la fin des tours d'adresse. Le crieur annonça que tous les sujets de Dorado étaient conviés à se sustenter avant la compétition. Les grandes portes d'entrée du château s'ouvrirent sur la cour intérieure laissant entrevoir d'immenses tables rondes, décorées d'une centaine de chandeliers et agrémentées d'une tonne de victuailles et des fûts d'hydromel, de vin et de bière. Des odeurs de poissons grillés, de beurre fondu et de pains frais se répandirent dans l'air. La foule se rua vers cette quantité impressionnante de nourriture.

Pendant ce temps, O'Neil, Melvin et Éloïse regroupèrent les dragnards et les ramenèrent à l'enclos, sauf celui de la princesse Launa. Un écuyer le prit en charge et le conduisit à l'écurie royale. Andrick et sa jumelle Nina, libres de toutes tâches, rejoignirent la foule qui mangeait avec appétit. Préoccupée, Launa s'esquiva au lieu de rejoindre ses parents.

CHAPITRE 4

LE SPECTACLE

Pendant que tout le monde festoyait, O'Neil remarqua un phénomène étrange. Un gros nuage noir obscurcit les lieux au-dessus de l'enclos et s'immobilisa. Il semblait faire du surplace. Les bêtes s'affolèrent et s'agitèrent dans tous les sens.

Depuis quelques semaines, O'Neil avait noté ce phénomène à de nombreuses reprises. Jusqu'à ce jour, il ne s'en était pas inquiété outre mesure, mais le ciel était si bleu et si calme que ce gros nimbus clochait dans ce firmament sans nuages. Sans dire un mot, O'Neil donna un coup de coude à son fils et pointa cette masse étrange. Le nuage se remit lentement en marche et disparut au bout de quelques minutes. Les dragnards redevinrent calmes.

— Ce nuage est de mauvais augure, mon fils, dit simplement O'Neil. Je vais devoir en parler à notre bon roi. Heureusement que l'enclos est bien clôturé, autrement ils auraient tous filé vers la forêt la plus proche.

Melvin acquiesça sans même avoir compris un traître mot de ce qu'il avait dit. Il avait la tête ailleurs. Une seule pensée l'habitait. Naura. Il avait apporté un charmant dragnard blanc aux yeux verts à la princesse pour ses 15 ans. Ses mains avaient touché ses doigts. Sa peau était soyeuse et dégageait un parfum de fleurs d'oranger. Il s'en souvenait comme si c'était hier. Il émit un long soupir. O'Neil crut qu'il soupirait en raison de ce nuage. O'Neil se réjouit que Melvin s'en inquiétât. Il n'était pas fou. Ce nuage troublait aussi son fils.

De fait, il se trompait. Melvin s'en foutait éperdument. Perdu dans ses souvenirs, il espérait à nouveau que ses doigts effleurent les mains de la princesse. Contrairement à sa mère à la chevelure blonde, Naura avait des cheveux noirs et abondants comme ceux de son père. Cette tignasse encadrait un visage aux traits doux doté d'une carnation couleur pêche. Une mèche tombante dissimulait des yeux d'un vert forêt d'une profondeur inouïe, comme ceux de Bichou, le dragnard. Il se souvint comment son cœur s'était mis à battre à tout rompre lorsque Naura avait soulevé cette mèche rebelle d'un geste souple, lui avait souri gracieusement et s'était emparée de cette boule toute blanche et chaude. Heureuse et ne tenant plus en place, elle s'était penchée vers lui et, au grand dam de son père, l'avait embrassé sur le front alors que Melvin était encore agenouillé à ses pieds.

Depuis ce jour, Melvin ne pensait qu'à elle et avait prévu de l'impressionner au début de la compétition. Durant des mois, il avait pratiqué un numéro d'ouverture. Il en glissa un mot à son père qui le suggéra au souverain. Ce dernier en fut ravi et même ému. Il s'était écrié :

– Diable, c'est une sacrée bonne idée qu'a eue votre fils. Allez, digne Sire Dagibold ! Dites à votre fils que nous l'honorons d'une si bonne initiative. Il recevra, si le spectacle est bon, une bourse d'or.

Cette bonne nouvelle l'enflamma. Il redoubla d'ardeur pour impressionner toute la galerie royale même si la bourse d'or l'importait peu.

Dans à peine une heure, il sera le maître de spectacle. Il n'espérait qu'une chose, baiser à nouveau la main de la princesse Naura. Mais ce n'était qu'un rêve. Il soupira à nouveau. L'attente lui sembla insupportable. Son père sentit son fils anxieux et le rassura.

— Ne t'inquiète pas. On trouvera la raison de ce nuage, dit O'Neil.

Il lui tendit un bol contenant de la nourriture et une gourde remplie de vin. Ne comprenant pas l'allusion, Melvin dévora la tartine de pain de maïs et le fromage de brebis.

Launa chercha Idrex, son instructeur. Elle le trouva chez lui dans sa loge de la tourelle nord en train de savourer un bon repas en compagnie de son épouse, Mila. Tous deux étaient dans la cinquantaine. Ils formaient un merveilleux couple. Idrex était d'un calme imperturbable et Mila, d'une douceur incomparable. Jamais Idrex ne se fâchait, même quand Launa faisait des erreurs, et Mila savait comment la réconforter lors de ses mésaventures. C'était un couple heureux qui se dévouait uniquement à la famille royale.

— Sire Idrex, je m'excuse d'interrompre votre repas, mais j'ai quelques soucis, dit-elle tout essoufflée.

Inquiet, Idrex se leva. Il n'avait jamais vu Launa si désemparée. La main sur sa poitrine, elle avait une respiration saccadée.

— Princesse Launa, qu'y a-t-il, par la barbe des dieux, Frenzo serait-il malade ? S'est-il cassé une patte ? Qu'y a-t-il ?

— Non, rien de cela, sire Idrex. C'est que je suis inquiète, poursuit-elle en reprenant son souffle. Je ne me sens pas à la hauteur des autres concurrents.

Cette phrase le fit sourire et, renonçant à son repas, il se redressa.

— Princesse Launa, dit-il en s'inclinant vers elle, avec tout le respect que je vous dois ! Je vous assure que je ne vois aucune difficulté pour vous à gagner cette course, jeune dame. Vous avez survolé de nombreuses fois le parcours et franchi tous les obstacles. Vous avez un net avantage sur vos concurrents qui n'ont pas la chance d'accéder au parcours avant la compétition.

Idrex savait que c'était un favoritisme inadmissible, mais le roi tenait à ce que la princesse gagne. Il n'avait aucun doute sur les habiletés de Launa qui, pourtant, semblait abattue. Voyant sa détresse, il ajouta :

— Qu'est-ce qui vous fait dire ça, princesse Launa ?

— Sire, vous n'avez pas vu un des compétiteurs. Il a un dragnard splendide et très talentueux. Il a fait dix culbutes arrière sans hésitation. Et le cavalier, c'est Andrick, le fils d'O'Neil Dagibold. Sans l'ombre d'un doute, il sera un concurrent féroce. Je n'ai aucune chance de gagner. Je suis désespérée, dit-elle en s'écrasant sur un banc.

Idrex remarqua son débit rapide et son agitation. Il sourit. Cette Launa avait la fibre d'une batailleuse. Le roi pouvait être très fier de sa fille. Naura était plutôt du genre petite princesse de porcelaine et son autre fils Wilbras VI, que la famille royale surnommait Junior, était plutôt attiré par les arts et la culture, pas trop actif physiquement. Les deux derniers, Launa et Éloy, étaient de vrais petits diables, très actifs, très curieux et surtout très passionnés.

— Ma chère enfant, venez ici, ordonna-t-il doucement.

Il lui indiqua une chaise entre lui et son épouse. Sur la table, il y avait deux assiettes presque vides. Launa se sentit honteuse de les perturber en plein repas.

— Avez-vous pris le temps de bien manger ? ajouta Idrex.

— Non, sire, je n'ai pas faim, dit-elle en détournant son regard d'Idrex.

Elle croisa les bras sur l'abdomen. Elle s'étonna que son entraîneur ne la prenne pas plus que cela au sérieux. « Manger, quelle proposition stupide ! » se dit-elle. Mila se leva et alla à la cuisine. Idrex tira une chaise et fit signe à Launa de s'approcher. Elle protesta, mais Mila arriva avec une assiette remplie d'une délicieuse gibelotte de haricots salés accompagnée de navets, de pommes de terre et de thym. L'odeur merveilleuse qui s'en dégageait lui fit changer d'avis. Launa s'attabla.

— Qu'est-ce qui vous fait penser que vous ne gagnerez pas cette fois-ci ? lui demanda Idrex d'une voix calme.

— Je ne sais pas comment l'expliquer. Dès que j'ai vu les tours d'adresse de ce jeune homme avec son dragnard, je me suis dit : « ce n'est pas possible, c'est lui qui va gagner ».

— Qu'est-ce que je vous ai toujours dit ? Avez-vous oublié ce que je vous ai toujours enseigné ?

Comme elle ne répondait pas, il poursuivit :

— Le succès dans une compétition dépend certes des habiletés du dragnard et du cavalier, de la connaissance du parcours, mais aussi...

— De la confiance. Je sais. Je ne sais pas pourquoi j'ai paniqué en les voyant, lui et son stupide dragnard.

En fait, il était loin d'être stupide, il était tout simplement éblouissant. Elle vit son entraîneur se lever. Il se dirigea vers la gauche de la pièce où était située sa table de travail. Il ouvrit le premier tiroir et revint vers Launa, tenant un objet caché au creux de sa main. Une fois près d'elle, il lui dévoila une fine chaînette en or. Délicatement, il la souleva et la lui tendit. Un minuscule diamant étoilé à cinq pointes se laissa glisser sur chacune des mailles et s'immobilisa au milieu de la section inférieure de la chaîne. Malgré la petitesse de l'objet, il étincelait et jetait un vif éclat. Launa poussa un cri d'admiration.

— C'est pour moi ?

— Oui, c'est un objet qui m'a beaucoup aidé lorsqu'enfant je concourrais à un tournoi. C'est un bijou très ancien. Il appartenait à ma grand-mère, qui le tenait de sa mère. Il porte chance. Portez-le, il vous procurera confiance.

Elle regarda cette petite étoile. Elle ne croyait pas que cette pacotille ait un quelconque sortilège, quoiqu'elle soit très belle. Plus par respect que par politesse, elle le remercia et la mit autour du cou. Idrex l'admira et Mila lui sourit doucement.

— Elle vous va bien, dit-elle.

Cette phrase l'émut. Elle toucha l'étoile et sentit une chaleur pénétrante se répandre en elle. Qu'avait-elle à perdre ? Perdre au détriment d'un hobereau ? Jamais. Peut-être qu'elle lui porterait chance.

— Finissez votre repas. Vous n'aurez pas beaucoup de temps pour vous changer. À moins que vous ne comptiez participer à la course avec cette robe ? demanda Idrex, inquiet.

— Surtout pas, répondit Launa avec entrain.

Elle avait retrouvé sa joie et dévora son repas en quelques minutes.

Au château, les convives étaient rassasiés et certains avaient trop bu, surtout du Karva, une boisson paysanne facile à faire et fortement alcoolisée, que les gens portaient en tout temps sur eux dans une gourde suspendue à leur ceinture. Les roulements de tambour se firent encore une fois entendre. Cette fois-ci, les gens étaient conviés à quitter les lieux et à s'asseoir dans les estrades préparées pour le spectacle et la course.

Le roi et la reine, ainsi que Naura et Wilbras VI, s'installèrent à l'estrade d'honneur, située à l'avant sur une section surélevée, pour bien voir une bonne partie du déroulement de la compétition. Avant le début de la course, il y avait une nouveauté, un spectacle dirigé par Melvin, une première dans le royaume. Le souverain, un peu nerveux, espérait que ce ne soit pas long et ennuyeux.

Melvin fut accueilli à grands coups de trompette. Il salua la reine, le roi, Wilbras VI et Naura. Il ne put s'empêcher d'admirer

Naura plusieurs secondes. Elle avait une magnifique robe en velours vert absinthe ornée d'émeraudes. Un joli diadème argenté, décoré d'alexandrines, de péridots et de diamants verts, encadrait son gracieux visage. Leurs regards se croisèrent et Naura s'attarda à cette attention. Elle se pencha vers sa mère pour lui demander qui était ce beau jeune homme. Lorsque sa mère lui répondit qu'il s'agissait de Melvin, elle se souvint vaguement du jeune adolescent qui lui avait apporté le plus beau des dragnards, son Bichou.

À l'époque, Melvin n'était pas très grand. Elle avait peine à croire qu'il s'agissait de la même personne, tant sa beauté était grande et son assurance, aisée. Elle inclina la tête en souriant. Melvin sentit ses pieds se dérober. Son aisance fondit d'un seul coup. Il eut toutes les peines du monde à se ressaisir. Il se prosterna et effectua de nombreuses révérences, ce qui fit rire Naura. Rassemblant le peu d'assurance qu'il lui restait, il se tourna vers un public impatient. D'une voix forte, il annonça :

— Que le spectacle commence !

Il y eut un tonnerre d'applaudissements.

Pendant plus d'une heure, il y eut des lanceurs de flammes, des acrobates sur des chevaux, des bouffons et des tours d'illusion. Au début de chacun des numéros, Melvin saluait et présentait les artistes. Puis, ce fut à son tour, il s'introduisit et exhiba les 12 petits dragnards, tous aussi mignons les uns que les autres. Ils étaient si petits, pas plus gros que des chatons. L'assistance laissa échapper des murmures admiratifs. Encore une fois, la magie des Dagibold faisait son œuvre. O'Neil réussissait à surprendre la foule chaque année en développant de nouvelles espèces biologiques de dragnards. Certains étaient de grandes tailles pour le transport et le travail, et d'autres, aussi petits qu'un minet. Dans ce dernier cas, ils n'étaient que des animaux de compagnie. Il tenait ses connaissances de ses grands-parents qui, eux, le savaient de leurs aïeuls. Chaque dragnard avait un nom et un arbre généalogique. Tout était consigné dans un registre et conservé dans les voûtes du domaine Dagibold.

Une fois que l'assistance se fut calmée, Melvin salua à nouveau la foule. Les 12 petits dragnards se mirent en cercle et se tinrent debout. La foule sympathique se leva et applaudit à tout rompre. Melvin dut intervenir pour demander le silence. Ensuite, en claquant des mains et en gesticulant, les dragnards se placèrent. Ils réalisèrent différentes acrobaties en exécutant une pyramide, en sautant dans des cercles placés à des hauteurs variées, en dansant et en roulant par terre. Il y en avait un qui trainait de la patte et jouait la comédie en désobéissant à tous les ordres de Melvin. La foule riait et bien sûr Naura était charmée.

Ce petit dragnard roux le défiait constamment. Son maître l'interpellait à intervalles de cinq secondes.

– Droni, reviens ici.

Droni n'en faisait qu'à sa tête. À la toute fin du numéro, Melvin ordonna de saluer la foule. Tous se dressèrent sur leurs pattes, sauf Droni qui s'aplatit sur son ventre. La foule s'esclaffa. Melvin fit une révérence vers son public et vers l'estrade royale. Ensuite, il donna à chacun de ses dragnards une récompense, un beau morceau de viande. Éloïse, la sœur de Melvin, recueillit Droni dans ses bras et s'esquiva de la scène, suivie des autres jolies et mignonnes petites créatures.

D'une voix puissante, Melvin remercia le roi de cette magnifique journée. Totalement enthousiasmé par ce divertissement, le roi descendit de sa tribune et s'approcha du maître de cérémonie. Naura le suivit par derrière. Wilbras V se présenta à lui et détacha de sa ceinture un petit sac. D'une voix puissante et dans un geste théâtral, il dit :

— Je te remets la bourse d'or telle que promise.

Melvin s'agenouilla, embrassa la main du roi et saisit le sac que celui-ci lui tendait. La reine se présenta à lui. Elle tendit sa main. Melvin la regarda dans les yeux. Elle avait de magnifiques yeux d'un vert forêt plus profond que ceux de Naura. Un peu ému par sa beauté, il s'inclina et baisa la main de la reine. Puis, Naura exhiba la sienne. Comme pour la reine, il admira l'éclat de ses yeux et il baisa sa main avec douceur et respect. Elle sentait la glycérine et la rose. Encore enivré par son parfum, il se releva avec difficulté. Il dut reprendre vite ses sens, car il fallait se dépêcher. La foule scandait :

— La course, la course !

Avec ses compagnons, il démantela la scène et enleva tous les accessoires. Enfin, la course pouvait débuter.

CHAPITRE 5

LA COURSE

Des roulements de tambour vinrent souligner le début de la compétition. Vingt-quatre dragnards et vingt-quatre aspirants se présentèrent. Cinq concurrents étaient accompagnés d'un domestique ou d'un parent. Tous se mirent en ligne. Andrick cherchait des yeux Launa, mais il ne la trouva pas. Pourtant, elle était bel et bien placée en début de ligne. Quatre rivaux les séparaient.

Au bout de quelques minutes, il la reconnut et fut surpris de la voir vêtue d'une houppelande légère, avec un pourpoint en velours bleu azur, et de chausses en soie blanche recouverte de houseaux en peaux de daim. Ses cheveux étaient tressés, enroulés au-dessus de ses oreilles, et les couvraient entièrement. Elle était splendide. La tête haute, elle avait un port de reine et la volonté de gagner. Cette fois-ci, Andrick déglutit. Il comprit que la partie ne serait pas facile. La jolie Launa paraissait alerte dans ses nouveaux vêtements. Trois autres coups de tambour signifièrent qu'il fallait enfourcher les dragnards. Andrick le fit en quelques secondes. Certains eurent leur lot de difficultés. Leur dragnard était beaucoup trop nerveux et n'arrêtait pas de s'agiter. Launa eut l'aide d'un serviteur, bien qu'elle aurait préféré, elle aussi, l'enfourcher seule et d'un simple élan. Elle aurait ainsi démontré aux aspirants de la coupe du Dragon d'or son assurance et son habileté.

Bien calée sur sa selle, elle lorgna vers Andrick. Il lui sourit et ne put s'empêcher de lui lancer avec sarcasme :

— Que le meilleur gagne !

Malgré les hennissements des dragnards et l'échauffement dans les estrades, elle l'entendit et le prit comme un compliment. Elle inclina sa tête avec grâce en signe d'acquiescement et ensuite salua ses parents avec calme et sérénité. Elle vit son père lui crier quelque chose. Elle n'entendit rien, mais elle put lire sur ses lèvres :

– Bonne chance, ma douce princesse !

Elle passa sa main à son cou et sentit une chaleur se dégager de son minuscule pendentif. Elle se redressa, releva le menton, fixa le regard droit devant elle et tint solidement la bride de son dragnard. Elle était prête. « Que le meilleur gagne, se dit-elle, et ce sera moi. »

La course était une dure épreuve pour les dragnards et les cavaliers. Il y avait de nombreux obstacles, des virages abrupts à exécuter, des cerceaux de feu à traverser et des vols à haute altitude au-dessus des geysers situés plus au sud. De nombreux observateurs étaient placés le long du parcours et un seul manquement suffisait à la disqualification. Tous les concurrents, sauf Launa, n'avaient eu qu'un tour de piste après le repas du midi en compagnie d'Idrex. En un rien de temps, Andrick et Nina avaient évalué les zones à risque.

Le départ était imminent. Nina caressait son dragnard Orphée, une belle bête au pelage blanc tacheté de brun, très docile. Quant à Frivole, le dragnard d'Andrick, il avait un beau pelage brun, tirant sur le roux, et démontrait une grande excitation en hennissant à quelques reprises et en grattant le sol de sa patte gauche. Melvin vint les rejoindre.

— Andrick et Nina, je sais que vous pouvez gagner, mais soyez généreux. Si vous voyez qu'à la dernière minute, Launa est juste derrière vous, faites en sorte qu'elle gagne, suggéra Melvin. Après tout, c'est sa fête !

— C'est un ordre ou bien une mauvaise plaisanterie, rétorqua Andrick grandement choqué.

— Ni l'un, ni l'autre, juste les convenances, répliqua Melvin surpris par l'attitude de son jeune frère.

— Pour ma part, c'est ce que je vais faire, annonça Nina. Et même, je vais empêcher quiconque de la dépasser.

— Bien dit, petite sœur, il ne faudrait pas gâcher les festivités de notre bon roi et de notre majestueuse reine, tous deux si généreux. Andrick, tu devrais écouter ta jumelle.

— Moi je dis que, si elle gagne, c'est qu'elle est meilleure que moi. Et... mon Frivole n'est pas un pourri ! Il a du cœur au ventre, s'acharna à dire Andrick, en pesant bien ses mots et en tapant doucement le cou de son partenaire.

Frivole l'écoutait et, lui aussi, n'avait pas l'intention de démontrer qu'il était un vaurien. Il releva la tête et la secoua à plusieurs reprises en hennissant en guise d'approbation. Si ce n'était que de lui, il aurait mordillé Melvin à l'épaule en voulant dire : « Hé, ho! Pour qui tu nous prends ? »

— Je n'abdiquerai pas, ajouta Andrick. Tu as eu la chance de gagner trois fois la coupe du Dragon d'or avec Balou et ma sœur Éloïse, deux fois avec Fabelle. L'année passée, je n'ai pas pu participer à la course en raison d'une blessure. Cette année, j'ai bien l'intention de la gagner cette coupe, pas juste d'y participer, hurla Andrick survolté.

— Pas si fort, la princesse pourrait nous entendre, murmura Melvin.

C'était fort peu probable. Il y avait un tel enthousiasme dans les estrades, la foule criait et clamait avec impatience le début de la compétition. Quelques-uns complétaient en cachette des paris, mais au royaume Mysriak, c'était formellement défendu. Également, les magiciens et les fées ne pouvaient utiliser leur pouvoir pour changer le déroulement de la course.

— Non, ce n'était pas du tout pareil. Tu oublies qu'il n'y avait aucun membre de la famille royale qui participait aux compétitions à ce moment-là, ajouta Melvin. Et si tu te souviens bien, l'année passée, Nina est arrivée deuxième. Tu devrais te contenter de ce rang, Andrick.

Cette dernière affirmation ne calma nullement Andrick. Au même moment, des roulements de tambours de plus en plus intenses se firent entendre. Des coups bien mesurés, un par seconde. Les entraîneurs quittèrent la ligne de départ. Melvin fit une accolade et serra très fort Andrick. Puis, il embrassa sa sœur Nina.

— Que les dieux vous protègent et surtout, ne faites aucune imprudence, dit Melvin aux jumeaux.

Les roulements de tambour étaient maintenant des coups réguliers tous les quarts de seconde. Puis, plus aucun son de tambour.

— Surtout, n'oubliez pas. Ne fatiguez pas Frivole ni Orphée. Débutez lentement, ajouta-t-il en s'éloignant. C'est très important. Débutez lentement pour finir en lion, cria Melvin.

— Ouais, ouais, murmura Andrick. Ce n'est pas la première fois que Frivole vole. Ah! comme il peut être agaçant avec ses conseils!

Frivole acquiesça et hennit deux fois. Andrick sourit. Son dragnard était plus qu'une simple bête, c'était son partenaire, son associé. Il respira un grand coup. Cette course était à lui.

Tous les participants enfoncèrent leur couvre-chef. Certains étaient en tricot de laine, d'autres n'étaient qu'un simple carré de tissu noué sous le menton et il y avait un participant avec un drôle de casque pointu tout en métal. On aurait dit un entonnoir posé à l'envers sur sa tête. Andrick et Nina avaient un bon béret avec des oreillettes en laine feutrée. Launa ajusta un magnifique couvre-chef en peau de daim qui fit l'envie de tous. Andrick repensa à son manteau. Il se voyait exhibant la belle fourrure rouge éclatant. Son intuition lui disait qu'un jour, ce manteau lui appartiendrait. Arméranda ne lui avait-elle pas promis? Un jour, serait-il un magicien? Possible, sa mère était une fée.

Une longue note de clairon le sortit de son rêve.

Un officier en collant blanc et coiffé d'un chapeau plat bleu, de la même couleur que sa courte tunique, était placé à la ligne de départ. Il émit une seconde note pour rappeler à l'ordre les indisciplinés. Les dragnards se cambrèrent à nouveau et les cavaliers mirent un certain temps à les calmer. Puis, ce fut le silence le plus complet. Les concurrents fixaient les moindres gestes de l'officier. Il abaissa son clairon et se plaça face aux participants.

— Jeunes gens, veuillez vous placer, fit-il en pointant une ligne blanc crayeux peinturée au sol.

Avec docilité, les dragnards, des bêtes vives et intelligentes, s'alignèrent le long de cette ligne, selon les ordres de leur maître et de l'officier, et attendirent le signal de départ. Puis, l'officier satisfait émit un second son de clairon très faible indiquant la fin du placement. Il se déplaça à l'extrémité de la rangée pour éviter de nuire au départ. Quelques secondes plus tard, il donna le coup d'envoi en soufflant avec énergie dans son clairon. Ce fut un son long et retentissant. Les dragnards partirent à plein régime. Le claquement des ailes fit soulever une fine poussière. Ils s'élevèrent harmonieusement sans accrochage. Un départ parfait. La foule ne put s'empêcher d'applaudir tant le spectacle était ravissant.

Il y avait dix tours de piste à faire. Ce n'était pas logique de partir à cette vitesse. Les entraîneurs ressentirent une vive inquiétude. Ils prévoyaient déjà des accidents. En effet, dès le premier cerceau de feu, le jeune Barbiel, le fils d'Éleuthère provenant du domaine forestier du lac Vert, frappa de plein fouet le cerceau enflammé. Son dragnard Barbichou fit plusieurs virevoltes qui empêchèrent son cavalier d'être désarçonné et de tomber dans le vide. Barbiel avait quelques brûlures au visage. Heureusement, plusieurs observateurs près des obstacles avaient sur eux de l'eau guérisseuse, qui avait le pouvoir de cicatriser rapidement les blessures.

Erhel, observateur et magicien à cet endroit, lui taponna doucement la figure avec cette eau. Les rougeurs disparurent immédiatement. Quoiqu'étourdi, Barbiel se releva et tituba en se dirigeant vers Barbichou, un magnifique dragnard à long poil blanc. Il l'inspecta et fut heureux de constater que Barbichou était sain et sauf. Il enfourcha à nouveau son dragnard.

– Jeune homme, que fais-tu là ? demanda Erhel.

– Maître, il me faut continuer la course, répondit Barbiel.

– Hélas, jeune homme, tu es disqualifié ! Tu ne peux continuer, annonça Erhel.

Penaud, il se résigna au verdict de l'observateur. Avec tristesse, il vit les autres concurrents traverser le cerceau sans problème. Barbichou s'assit sur son derrière et émit un long hennissement plaintif. Lui aussi, il aurait voulu continuer la course.

– Allez, va prendre une place dans les estrades près de ton père, convia Erhel. C'est trop dangereux ici.

Barbichou et Barbiel marchèrent piteusement côte à côte pour rejoindre les parents de ce dernier.

CHAPITRE 6

L'ACCIDENT

En remarquant que la course avait pris des allures suicidaires, Andrick se désola. Les autres participants en avant de lui hurlaient, criaient et maltraitaient leur dragnard pour qu'il vole plus vite. Andrick trouva plus sage de diminuer la vitesse. Il fut surpris de constater que Nina et Launa l'avaient déjà fait. Elles étaient derrière lui. Les 20 autres concurrents en avant d'Andrick amorçaient le passage le plus étroit de la course. Il fallait passer entre les flancs de deux rochers très rapprochés. L'observateur des lieux, Uldarie, plissa des yeux en voyant ce peloton arriver si vite. Que pouvait-il faire ? Il prit son sifflet et souffla très fort. Il fit signe de ralentir avec un fanion rouge. À la vitesse qu'ils volaient, les cavaliers n'entendirent pas le coup de sifflet. Le vent bourdonnait dans leurs oreilles malgré leur couvre-chef attaché bien serré. Par bonheur, les dragnards avaient une ouïe très fine et obéirent à l'observateur juste à temps. Tous s'engouffrèrent dans ce passage étroit sans encombrement. Uldarie respira à nouveau librement.

Le premier tour de piste se termina avec un concurrent en moins. La foule fut surprise de constater que la princesse était la dernière. Il y eut des cris d'encouragement. Une grande partie de la foule scandait : « Launa, Launa » ; d'autres hurlaient avec discrétion le nom de leur enfant. Andrick, devant Nina et Launa, ricanait en apercevant Launa la dernière de la course. Malgré que son rang ne soit pas des plus reluisants, il n'était pas inquiet. Son plan de match consistait à ne pas fatiguer inutilement Frivole.

Les deux autres tours de piste furent sans incident. Le peloton de tête commençait déjà à s'essouffler. Ce n'était qu'une question de temps avant que d'autres accidents ne surviennent. Valdémor surveillait l'étape la plus exigeante pour les dragnards, c'est-à-dire de monter en flèche pour passer au-dessus d'une grande bande de tissu tendu entre de longues perches, placées au sommet de deux tourelles de la face nord du château, et ensuite de redescendre à la verticale pour passer sous une barre située à deux mètres du sol. Ce passage demandait une précision et un contrôle phénoménal de la part du cavalier. Ce fut, hélas, un désastre. Un des dragnards piqua du nez et s'écrasa au sol, amenuisant ainsi le passage. Les cinq dragnards suivants ne purent l'éviter. Ils heurtèrent violemment le premier. Des cris et lamentations s'élevèrent du peloton aplati au sol.

Valdémor comprit l'importance de l'accident. Il ne s'agissait pas de simples blessures et l'eau guérisseuse, contenue dans les jarres près de lui, était en quantité insuffisante. Depuis l'Événement, le jour qui transforma la vie de tous les sujets du Dorado, et malgré l'Interdiction, la magie était discrétionnaire et permise lors d'un sérieux incident. Aussi, sans hésitation, il ne s'en priva pas. D'un coup de baguette accompagné d'incantations, il dégagea la piste pour empêcher qu'un autre entre en collision avec les blessés. Trois secondes plus tard, deux concurrents passèrent sous la barre avec succès.

Les cavaliers et les dragnards étaient en piteux état. Même avec la magie, la tâche était trop immense pour un seul magicien. Il se devait d'appeler du renfort. Il émit trois petits coups de sifflet et ensuite trois longs coups qu'il termina par trois autres petits coups. L'équipe de magiciens et de fées de service arriva rapidement sur les lieux de la catastrophe et se mit à l'œuvre. Un hôpital de fortune fut immédiatement construit grâce aux charmes des magiciens. Sous cette tente en toile blanche, les fées s'appliquèrent à l'approvisionnement en lits, draps et potions.

Éxir, le plus grand des magiciens de Dorado, arriva enfin. Il circula entre les dragnards et les cavaliers blessés. Il prodigua les soins les plus urgents, mais dut se rendre compte que l'hôpital devrait rester en place un bon moment, car il n'était nullement question de les déplacer. Valdémor suggéra à Éxir d'arrêter la course d'urgence.

— Confrère, je dois m'en remettre au bon vouloir du roi. Seul le roi peut arrêter la course, répondit un Éxir dérouté par une telle suggestion.

— Grand maître, ne pouvez-vous pas le conseiller ? insista Valdémor. Ce parcours est beaucoup trop dangereux.

— Certes, je peux le conseiller, mais si je me réfère aux protocoles, aucune règle ne s'applique à l'arrêt d'une course avant sa fin. Bien que ce soit la première fois que la compétition soit si vive auprès de nos jeunes cavaliers, il n'y a aucun article prévoyant la fin prématurée de la course, répéta Éxir d'une voix dramatique.

Le ciel s'assombrit instantanément. Un immense nuage passa au-dessus des lieux. Un vent froid et violent s'éleva. Valdémor et Éxir l'observèrent et frissonnèrent. Il s'était immobilisé au-dessus de l'hôpital de fortune. Les autres magiciens et fées étaient tous trop occupés à appliquer des compresses d'eau guérisseuse à ces gamins blessés et à les soulager avec des incantations pour remarquer cette masse noirâtre et les nombreux tourbillons de vent.

— Par les dieux, qu'est-ce que c'est, maître ? s'écria Valdémor.

— Je ne sais pas. Je l'ai déjà vu, il y a de cela quelques heures, répondit Éxir… et aussi… il y a bien longtemps.

— C'est comme un nuage qui fait du surplace. Je n'ai jamais vu ça. Un nuage qui s'arrête au-dessus de nos têtes, dit-il, le cou cassé à force de fixer ce corps céleste.

— J'ai lu dans un des livres de Wadyslaw qu'il existe des transporteurs.

— Aux archives de notre bibliothèque du royaume ?

— Oui, à la bibliothèque de Wadyslaw. Ce phénomène était décrit comme étant des transporteurs.

— Des transporteurs célestes, vous voulez dire, maître Éxir ? C'est comme... un vaisseau céleste, interpréta Valdémor en le clouant des yeux.

— Un vaisseau spatial. Oui. Un vaisseau spatial formé de nuages. Il y a des vaisseaux qui flottent sur les eaux, mais lui, il flotte sur un courant d'air.

— Grand maître, que fait-il présentement ? Ça fait plus d'une minute qu'il est au-dessus de nous.

— Il fait du repérage. Pour quelle raison, ça, je n'en sais trop rien.

Entre temps, le dernier trio arriva à cette étape. Andrick menait, Launa était seconde et Nina, la dernière. Tous les trois passèrent l'étape sans anicroche. C'était une pure merveille de les voir si bien contrôler leur dragnard. Le nuage n'avait cessé d'être à cet endroit tout ce temps. Les dragnards s'éloignèrent et le nuage se poussa. L'air s'adoucit et la tension diminua chez les deux observateurs. Sa disparition n'étonna pas Éxir. Il pressentit que ce vaisseau s'intéressait à cette course et peut-être davantage à ces compétiteurs.

– Je crois qu'il y a une ombre à cette course, chuchota Éxir en quittant les lieux.

L'épreuve durait depuis 43 minutes. Il ne restait maintenant que deux tours de piste. Le public constata qu'il ne restait que quatre concurrents. Treize autres concurrents avaient dû se résigner à abandonner le concours au huitième tour de piste. Un incident malheureux avait provoqué la collision de trois dragnards près du cerceau de feu. Dix autres furent disqualifiés en raison de l'épuisement des dragnards. Ces derniers n'ont pu s'élever assez haut, à l'étape des geysers.

Les derniers concurrents passèrent devant l'estrade d'honneur. À présent, Launa était en tête, suivie de près par Andrick et Nina. Au loin, Zémée, la fille d'Olibert du domaine des Forges, fermait la course. Son père était réputé pour faire les plus beaux attelages en acier trempé pour les dragnards. Ils étaient des plus légers et des plus solides. Il y mettait toute son âme et chaque attelage avait sa signature. Pour sa fille Zémée, les étriers étaient finement ciselés de colibris, son oiseau préféré.

Puis s'amorça le dernier tour de piste. Ce n'était qu'une lutte à trois entre les jumeaux et Launa. Zémée se tenait loin derrière le peloton de tête. Désappointée par le nombre de concurrents encore en lice, la foule était moins animée qu'au début. Certains continuaient de scander : « Launa, Launa ».

Pourtant, ces derniers y mettaient tout leur cœur et leur âme pour finir cette course avec honneur. Andrick et Launa étaient maintenant coude à coude, talonnés de près par Nina. Les virages se faisaient de plus en plus serrés. Ils s'appliquaient à bien contrôler leur bête pour qu'elle accomplisse de son mieux l'étape finale en toute sécurité. Nina commença à ralentir. Orphée était épuisée.

Frivole et Frenzo étaient tous deux passablement fringants, distancés à peine par quelques centimètres. À ce stade de la course, c'était une lutte à deux pour connaître le gagnant. Andrick dut admettre que Launa était une combattante remarquable et une excellente cavalière. Andrick accéléra et la dépassa. Il n'arrêtait pas de jeter un regard derrière lui pour savoir à quel point il la devançait.

La petite étoile au cou de Launa la rassura. Elle claqua affectueusement l'encolure de Frenzo de la main gauche et resserra son étreinte. Celui-ci réagit et fonça avec assurance. À l'un des virages, Launa supplanta Andrick. Contrairement à lui, Launa fixait son regard droit devant elle, sans jamais détacher son attention. Elle se focalisait sur la ligne d'arrivée. La dernière étape arrivait. Elle se sentait épuisée. Elle maintenait son avance et se concentrait de tout son être pour passer à l'intérieur du cerceau de feu, lorsqu'Andrick lui passa sous le nez. Il la regarda au passage et ce fut presque fatal. Frivole fit volte-face pour éviter de le frapper. Frenzo passa directement à l'intérieur et ensuite Frivole. La course n'était toutefois pas finie. Ils n'étaient qu'à 100 mètres de la ligne d'arrivée. La foule se souleva et s'enthousiasma devant cette finale serrée.

Andrick cria à Frivole :

— Mon beau, encore un petit coup et nous serons les gagnants.

Frivole s'appliqua si bien que Frenzo et Frivole arrivèrent nez à nez à la ligne d'arrivée. Le public émit un cri spectaculaire et les applaudissements fusèrent. « Quelle belle finale ! » pensa Melvin, heureux du dénouement de la compétition.

Les tambours et clairons résonnèrent. Pour la première fois de l'histoire des courses, il y avait deux gagnants. La joie s'empara des spectateurs. Sous un tintamarre assourdissant, Wilbras V annonça avec joie :

— Que la fête continue !

En touchant terre, Andrick courut rejoindre Arméranda pour lui annoncer la bonne nouvelle. Quelle ne fut pas sa surprise de constater que tout le campement s'était volatilisé ! Plus de tentes, plus d'étals, plus de babioles. Arméranda était partie. Il aurait tellement désiré la revoir. Il remarqua que le sol était intact, comme si personne n'avait campé à cet endroit. Il chercha l'endroit où il avait craché et foulé le sol. Rien. Était-ce une illusion ? Avait-il rêvé ? Penaud, il retourna au château.

Le soleil se coucha et la nuit s'empara des lieux. Des milliers de bougies illuminaient le château et les environs. On buvait et on chantait. Sur l'estrade d'honneur, Andrick et Launa fêtèrent leur victoire en savourant un verre de lait. Puis ce fut le traditionnel gâteau d'anniversaire de Launa. Un super gâteau orné de 11 chandelles. Morina l'embrassa et lui susurra à l'oreille :

— Fais un vœu.

Launa ferma les yeux et murmura :

— Je veux être une fée comme ma mère, maintenant.

Elle souffla sur les bougies qui s'éteignirent d'un seul coup. Elle regarda le ciel et vit un météore traverser un ciel constellé d'étoiles. Elle sourit. Elle était convaincue que son souhait se réaliserait. Lorsque sa mère lui coupa un gros morceau, elle le mangea à belles dents. Andrick lui aussi dévora le gâteau avidement. Il était heureux même si, quelques heures plus tôt, il s'était juré de lui faire mordre la poussière et même s'il avait manqué le départ de la belle Arméranda.

Le roi s'approcha de sa fille et l'embrassa. Il lui chuchota :

— Que ce soit ta plus belle fête, ma chérie !

— C'est fait, répondit-elle.

Wilbras V l'embrassa. Andrick se surprit d'en être jaloux. Il aurait bien aimé, lui aussi, lui baiser la joue. Elle était resplendissante.

Un peu plus loin, déçu de ne pas avoir revu la belle Naura, Melvin se soûlait en compagnie d'amis. À une autre table, Éloïse buvait un lait de chocolat aux piments et à l'ail avec sa sœur Nina. Toutes les deux grimaçaient en buvant cette curieuse boisson et s'esclaffaient.

Le temps était doux. Les grenouilles coassaient et les grillons craquetaient. Près du château, deux magiciens discutaient en marchant le long de la douve. Valdémor et Éxir se remémoraient cette vision au cours de la journée, ce nuage noir qui était apparu sans signe évident de mauvais temps. Ils éprouvèrent une vive appréhension. Éxir ne voyait qu'une seule solution à leur questionnement : faire appel à la pierre savante.

— Demain, j'irai la consulter, dit-il à son congénère.

— Je crois que ce serait sage. Le plus tôt tu le feras, le mieux ce sera, répliqua Valdémor.

Ils n'étaient pas les seuls à se préoccuper de cette vision. O'Neil, après avoir mis en lieu sûr les dragnards, retourna au château rejoindre ses enfants. Dans son for intérieur, il avait décidé de rester sur place et de dormir à l'auberge. Son devoir lui commandait de solliciter une audience à son roi dès que possible et de l'informer de cette apparition intrigante.

CHAPITRE 7

L'INQUIÉTUDE D'O'NEIL

Éloïse vit son père qui les cherchait. Elle eut beau lui faire des signes et crier en sa direction il ne la vit pas, ni ne l'entendit. Il y avait tellement de bruits et la foule était si compacte qu'il était impossible pour O'Neil de la détecter. Au lieu de s'approcher d'eux, il s'en éloignait. Elle vit un peu plus loin Nina et lui demanda de trouver son frère jumeau et de les attendre à l'estrade d'honneur. Ensuite, elle vit Melvin assis à quelques pas de là.

— Melvin, il est temps de partir. Notre père nous cherche. Allons ! Grouille !

Elle n'entendit que quelques grognements. Elle le secoua de plus belle jusqu'à ce qu'il glisse hors de sa chaise et se retrouve par terre. Avec peine, il se releva. Après deux ou trois pas hésitants, il reprit de l'aplomb et suivit sa sœur en bougonnant. Melvin était un jeune homme bien bâti. Après tout, ce n'étaient pas quelques bières de sapinette qui pouvaient le rendre soûl.

Elle s'efforçait de repérer son père. Son frère n'était d'aucune utilité, il avait plutôt la tête tournée vers l'estrade à la recherche de la douce Naura. Enfin, elle le localisa à plusieurs mètres d'elle. Tout en fendant la foule et en tirant le bras de Melvin, elle ne put s'empêcher de constater l'heure tardive de l'arrivée de son père. « Pourquoi avait-il pris tant de temps à mettre en lieu sûr les dragnards ? » s'interrogeait-elle. Mais ça, elle ne pouvait pas le lui demander. Elle savait qu'il serait offensé et lui administrerait une réprimande non méritée. Au lieu de cela, elle lui dit, une fois près de lui :

— Père, il est tard.

— Ma fille, je n'ai pas eu le choix. Les bêtes étaient trop nerveuses. Il m'a fallu attendre qu'elles se calment.

Ce qui était vrai. Malgré qu'aucune autre manifestation ne se soit produite, il avait pris la décision de sécuriser davantage l'enclos des animaux. Ainsi, il avait installé une rangée supplémentaire de fil de fer barbelé. Ce nuage noir aperçu quelques heures plus tôt lui glaçait le sang, mais sans qu'il ne comprenne la raison. Certes, il ne pouvait nier que les dragnards aient été, tout comme lui, vivement perturbés par sa présence. Ne voulant pas que ses enfants paniquent outre mesure, il évita le sujet.

— Père, nous devons quitter les lieux à l'instant, dit-elle, si nous voulons arriver chez nous à une heure raisonnable. Il fait déjà sombre. Andrick et Nina nous attendent près de l'estrade d'honneur.

Observant le visage tendu de son père, Melvin glissa d'une voix étouffée et respectueuse :

— Père, il n'est pas si tard que cela. Je vais sangler votre dragnard et nous serons prêts à partir d'ici une demi-heure.

— Mon fils, je te remercie. Ce ne sera pas nécessaire. Princesse restera à l'enclos. Je crois que je n'ai plus l'âge de voyager la nuit. J'ai besoin d'une bonne nuit de sommeil et vous aussi. Je vous paie à tous une nuit ici, à l'auberge, et comme ça, demain matin, nous serons en meilleure forme pour retourner chez nous.

Loin de les enchanter, cette proposition saugrenue surprit les deux enfants, qui se regardèrent intrigués.

— Ça ne risque pas d'inquiéter notre mère ? osa demander Éloïse.

— Tu as raison, ma fille. Je connais bien ma femme. Elle va s'alarmer, acquiesça O'Neil, et croira que l'un de nous a été dévoré par des ours ou, pire encore, que nous avons été attaqués par une meute de loups et que personne n'a survécu. Hum… à moins d'envoyer un messager. J'en connais un très serviable.

— Père, je crois que ça l'angoisserait davantage. Mère doit être impatiente de nous voir, déclara Éloïse. Et, en apercevant un messager plutôt que nous, je ne peux m'empêcher de penser que mère s'imagine le pire.

— Encore une fois, tu as raison, conclut O'Neil.

O'Neil dut admettre qu'il y avait du vrai dans ce qu'elle disait. À la simple vue d'un messager, son épouse Pacifida présumerait le pire et paniquerait.

— Donc, nous partons ce soir, réitéra Melvin. Le temps est super. Pas de vent, pas de nuages.

— Je sais, mes chers enfants, mais... Je désire parler au roi... Dès demain, hésita-t-il à avouer. Je crois qu'Andrick et Nina souhaiteront ne pas voyager cette nuit. De plus, Frivole et Orphée ont besoin de repos. Allez-y si le cœur vous chante. Partez avant qu'il ne soit trop tard !

Éloïse ne reconnaissait pas son père. Lui qui, de nature joviale et pleine d'énergie, paraissait incertain et troublé.

— De quoi, père, désirez-vous discuter avec le roi ? insista Éloïse.

— D'un phénomène étrange, répondit-il mollement.

Melvin avait déjà oublié la vision de cet après-midi. Lorsqu'il vit O'Neil aussi troublé, il se rappela un nuage qui avait un drôle de comportement, comme s'il était mû autrement que par le vent. « En toute logique, il devait être mû par un magicien. C'était sûrement ça. Ce n'est rien d'autre qu'un sortilège. Ces magiciens, ils se croient tout permis ! » songea Melvin. « Ainsi, ce farceur pensait déplacer un gros nimbus à l'abri des regards de tous les sujets du royaume, sauf que mon père et moi, nous nous y trouvions. Si le roi savait ça, il serait dans de beaux draps ou, plutôt, son corps se balancerait au bout d'une corde comme le balancier d'une horloge. Mais pourquoi père veut-il le dénoncer ? Ça ne lui ressemble pas. »

— Père, ce n'était qu'un nuage, après tout, dit Melvin pour banaliser ce fait. Une mauvaise blague d'une fée ou d'un magicien. Ça ne vaut pas la peine d'alerter le roi pour une bêtise d'un magicien qui veut pratiquer son art.

— Si ce n'était que ça, grogna O'Neil en posant sa main sur l'épaule de son fils et en abaissant la tête, j'en serais bien heureux.

Melvin fut étonné de sa réaction et en resta figé, tandis qu'Éloïse aurait bien voulu le questionner davantage, mais la voix de son père lui semblait si fatiguée et si lointaine. Elle décida que ce serait pour une autre fois.

— Allez me chercher Andrick et Nina, ordonna O'Neil.

— Oui, père, répondirent-ils d'une seule voix.

Un peu plus loin, Éloïse questionna son frère pour en savoir plus. Celui-ci raconta qu'à l'apparition d'un nuage, très noir et très bas, les dragnards étaient devenus subitement très nerveux. Heureusement que l'enclos était bien clôturé. S'il y avait eu la moindre ouverture, les dragnards auraient disparu en un clin d'œil. Et que dire de son père qui était devenu subitement très pâle. Éloïse comprit qu'il se passait quelque chose de grave, contrairement à Melvin qui n'y voyait qu'une manifestation anodine d'un nimbus dirigé par un magicien.

Andrick arriva le premier auprès de son père et exhiba fièrement son trophée.

– Père, voyez, j'ai gagné la coupe du Dragon d'or.

– Moi aussi, père, j'aurais pu gagner cette coupe, mais je ne suis pas une tête enflée comme mon frère et je n'ai même pas tenté de pousser Orphée au maximum.

O'Neil grimaça en voyant les jumeaux se quereller. Depuis leur naissance, ils étaient à couteaux tirés. Au moins, il fut heureux de constater qu'Andrick et Nina se réjouissaient tous les deux d'apprendre qu'ils dormiraient à l'auberge située à une centaine de pas du château.

En pénétrant à l'intérieur de l'auberge, ils découvrirent que les lieux étaient sombres. Seules quelques bougies sur le comptoir illuminaient la place. Les yeux d'O'Neil s'habituèrent à cette pénombre. La salle était vide. Les fêtards étaient tous demeurés à l'extérieur du château et buvaient aux frais du roi. Cette température particulièrement douce de ce premier septembre leur permit de continuer à festoyer à la belle étoile.

— Hé, ho, y a-t-il quelqu'un ? cria O'Neil.

— Pardon, pardon, j'arrive, dit une voix tout essoufflée.

Munie d'un bougeoir, une femme dans la cinquantaine et bien en chair se présenta devant eux. Elle déposa son bougeoir sur le comptoir et prit la chandelle pour allumer d'autres bougies. Puis, elle vérifia si sa coiffe et son tablier étaient bien en place.

— Pardon, mes sires, je n'attendais pas de clients si tôt. D'ici une heure ou deux, il en sera autrement. Lorsqu'il n'y aura plus de bières ni d'hydromel, ni de Karva à leur ceinture, ils ne viendront ici que pour continuer la fête.

En un rien de temps, elle avait allumé quatre chandeliers. Il y avait de grandes tables en bois verni et un immense comptoir rutilant de propreté. Des centaines de coupes étaient suspendues la tête en bas juste au-dessus du comptoir et brillaient de propreté. La dame souriait de toutes ses dents malheureusement d'une blancheur inégale. Elle ouvrit davantage sa bouche lorsqu'elle vit la coupe.

— Hein ! Tu as gagné la coupe ! ?

— Oui, dame.

— Ainsi que la princesse Launa, compléta Nina d'un ton fâché.

— Ah bon, c'est normal. C'est la fille de notre bon roi, dit l'aubergiste. Alors, que prendriez-vous pour fêter cette double victoire ?

Andrick déposa la coupe sur la table la plus près tout en décrochant un « je te l'avais dit ». Nina grimaça et s'assit. O'Neil commanda du chocolat chaud au gingembre pour les enfants et, pour lui, un bon pot de sapinette fraîche. Il réserva aussi deux chambres, ce qui fit un immense plaisir à l'aubergiste. Quelques instants plus tard, l'aubergiste déposa deux tasses de chocolat fumantes et le pot de bière. Elle se frotta la bedaine sur son gros tablier en coton vert bouteille avant d'allumer la grosse bougie ornant le centre de la table. O'Neil remarqua qu'il manquait un verre et pointa le pot de bière orphelin. L'aubergiste comprit l'allusion.

— Sire, je n'en ai que pour quelques secondes et je vous apporte le verre le plus propre du royaume.

À peine attablé, Andrick n'arrêtait pas de parler de sa stratégie utilisée durant la course. Les oreilles de Nina n'en pouvaient plus d'écouter son discours.

— Tout doux, je disais constamment à Frivole, expliqua Andrick.

Nina le reprit plusieurs fois et insista sur le fait qu'elle aussi avait utilisé cette même stratégie et que ce n'était pas SA stratégie, mais bien CELLE de Melvin.

— Peu importe, j'ai gagné la coupe du Dragon d'or.

— Ex aequo avec Launa, corrigea Nina.

— Tu es simplement jalouse. C'est moi le meilleur, renchérit Andrick, et il se retourna vers son père. Je te le jure, père, j'étais à cinq millimètres en avant d'elle.

— Ah ! Que tu peux être tête enflée, lança Nina. T'as trop mangé de gâteau. Ton cerveau est devenu aussi mou que la glace que t'as mangée.

— Les enfants, du calme s'il vous plaît, lança O'Neil d'une voix forte, impatient de prendre un verre. Ne pourriez-vous pas prendre votre breuvage en toute tranquillité ?

— Père, c'est lui qui a commencé cette discussion stupide, commenta Nina.

— Non, mais ce n'était pas une discussion stupide, contesta Andrick. C'est la vérité. J'étais le premier, d'une longueur de museau de dragnard.

— Que les dieux du ciel me viennent en aide ! Il faut une patience de fée pour vous tolérer. Vous êtes toujours à vous chamailler. Je ne sais pas comment ma tendre épouse réussit à vous endurer. Andrick, tu coucheras avec moi ce soir…

— J'y compte bien, interrompit Andrick, il n'était pas question de dormir avec cette chipie, une fifille.

— Andrick ! On ne parle pas comme ça de sa sœur.

— Vous voyez, père, il n'a aucun respect pour moi. Je suis son souffre-douleur et vous prenez toujours pour lui, renchérit Nina.

— Que de mots ! Vous m'épuisez à la fin.

L'aubergiste apporta enfin un verre éclatant de propreté. Il le remplit à ras bord et le but d'une traite.

— Vous voyez bien, père, elle m'accuse de tout, s'enflamma Andrick.

— Ça suffit ! cria-t-il d'un ton impatient.

Nina et Andrick sursautèrent au timbre soudain de leur père et interrompirent leur dispute.

— Nous allons nous coucher. Demain, nous nous levons tôt, ajouta-t-il d'une voix lasse. Et j'espère vous voir demain matin en tant qu'enfants bien éduqués.

O'Neil voyait que l'aubergiste le regardait d'une manière bizarre, lui sans maîtrise de ses émotions ni de ses enfants. Il se foutait de son air arrogant. Les sautes d'humeur fréquentes des jumeaux lui faisaient souvent perdre la tête. « Demain, seraient-ils en meilleure harmonie ? » se demandait-il.

Il n'avait pas osé leur dire que, demain matin, ils devraient partir seuls, sans lui. À certains moments, il se demandait s'il vivrait assez vieux pour voir ses deux enfants se réconcilier. Il se versa un autre verre et le but, encore une fois, d'une seule traite.

— Allez, finissez votre boisson chocolatée qu'on puisse aller se coucher. Demain, il faut se lever tôt.

Contrairement à leur père fourbu, les jumeaux pétillaient de vivacité. Ils grincèrent des dents en entendant cette suggestion. Leur père leur jeta un regard ténébreux et ils comprirent qu'il valait mieux obéir. Ils finirent leur chocolat en moins d'une minute.

CHAPITRE 8

LA CONVOCATION AVEC LE ROI

Le lendemain matin en descendant l'escalier conduisant à la salle à manger, les jumeaux et O'Neil furent surpris de constater qu'il y avait foule. L'aubergiste et son aide ne traînaient pas le pas. Elles servaient et desservaient en un temps record. Lorsqu'O'Neil passa devant l'aubergiste, elle prit tout de même le temps de lui sourire et de lui glisser :

– Bonne journée, sire Dagibold.

En voyant Andrick, quelques clients soulevèrent leur tasse en signe de félicitations. Andrick souleva la coupe et les remercia de leurs encouragements. O'Neil n'eut toutefois pas trop de difficulté à trouver une table et ils déjeunèrent ensemble. Il constata que ses jumeaux avaient bonne mine. Lorsqu'il demanda à la fin du repas de s'en retourner à la maison sans lui, histoire de régler la note et de rapporter au palais la coupe, ils ne firent aucune objection. Au contraire, ils étaient heureux et se relancèrent à tour de rôle.

— C'est moi qui vais arriver la première.

— Plutôt mourir que d'arriver le dernier.

— Je te dis que c'est moi qui vais arriver la première.

— Na-na-na-na, Nina la tortue, ce sera moi, le premier.

— T'es rien qu'une tête enflée, Andrick.

— Arrêtez, il n'est pas question de fatiguer les bêtes. Vous risquez de les crever. Un dragnard a besoin de repos après l'exploit que vous lui avez fait accomplir hier.

— Ah, ça oui ! s'exclama Andrick avec nostalgie et en admirant la coupe. C'est regrettable que je ne puisse l'amener à la maison. J'aurais tellement aimé la montrer à mère.

Il contempla cette coupe en argent qui mesurait une trentaine de centimètres. Un dragon d'or était ciselé sur la face. Andrick admira le travail remarquable d'orfèvrerie. Il se demanda comment un orfèvre pouvait accomplir un si beau travail sans jamais avoir vu un seul dragon.

– Pa ! dit-il, les dragons ont-ils déjà existé ?

– Je te l'ai dit mille fois. Ce sont des racontars.

– Et pourtant, ce dragon a tellement l'air réel avec sa gueule effrayante et ses yeux féroces.

– C'est ça, la magie d'un bon artiste. Il peut nous faire croire à ce qui n'existe pas.

– Ah ! que j'aimerais que mère le voie. Quel animal superbe !

– C'est vrai, père, c'est malheureux que mère ne puisse voir cette coupe. Ce dragon est super, fit-elle en caressant les lignes burinées.

– C'était la condition. Tu n'avais le droit de la posséder qu'un seul soir, dit O'Neil, fatigué de ce dialogue et préoccupé de se préparer à la rencontre avec le souverain.

– Ah oui, en effet ! C'est bien triste pour toi, Andrick, dit Nina en prenant un ton sarcastique. Ils n'avaient pas prévu que deux personnes puissent gagner ex aequo la course. Sinon, ils auraient fabriqué deux coupes, dont une, juste pour toi.

— Vous n'allez pas recommencer. Je ne veux plus entendre parler de cette coupe. La princesse conserve son titre et garde la coupe en lieu sûr. Je dois la ramener à son propriétaire. Vous comprenez, dit-il d'un ton agacé. Tout ce que je veux, c'est que vous retourniez à la maison sans faire un tas d'histoires. Me promettez-vous de ne pas vous chicaner sur le chemin du retour ?

— Oui, répondirent-ils en chœur.

O'Neil était à demi rassuré et il se leva de la table. Une fois à l'extérieur, il les embrassa et les regarda s'envoler, avec le regret de ne pas les accompagner, car juste avant de partir, Andrick piqua au vif Nina. Il s'écria :

— Le dernier arrivé à la maison est une poule mouillée.

Tous les deux partirent en trombe. « Que les dieux les protègent ! » se dit-il, impuissant devant leurs enfantillages.

O'Neil se rendit au château. Au premier garde du pont-levis, il demanda un entretien avec le roi. Il avait un excellent prétexte entre les mains : rendre la coupe. Quelques instants plus tard, il fut conduit à la salle d'audience. Le roi se présenta le premier, suivi de son épouse Morina. Ils s'assirent majestueusement. O'Neil s'inclina et resta dans cette posture en attendant l'ordre de se redresser.

— Que me vaut cette convocation? demanda le roi d'une voix grave et légèrement enjouée. Vous auriez pu juste laisser cette coupe aux soins d'un de mes gardes.

— Majesté, je le sais. La coupe, ce n'est qu'un prétexte pour vous rencontrer, dit-il en restant courbé et en déposant la coupe aux pieds du souverain.

— Sire, vous pouvez vous relever!

— J'ai quelques inquiétudes, annonça-t-il en se mettant debout.

— De quelle sorte?

— Majesté, hier, lors de la course…

— Ah! oui, interrompit le roi. Je crois que j'ai oublié de vous féliciter et de féliciter votre fils. Nous avons eu tellement à faire. Je me suis assuré personnellement qu'il ne manquait rien. Ce fut une fête formidable. La musique, les boissons, la nourriture et… Et que dire du spectacle! Et du petit dragnard roux. Il était charmant. Je crois bien que ma fille Naura est tombée en amour avec cette jolie bête. Hier soir, elle ne cessait d'en parler. Ah ! Quelle belle fête !… vous disiez ?

— Oui, Majesté, lors de la course…

Le roi l'interrompit à nouveau et poursuivit :

— De plus, on reconnaît que vous êtes un excellent entraîneur et votre fils vous honore. Vos dragnards sont de plus en plus superbes. Je crois que je désirerais en obtenir un autre, un dragnard de course bien sûr. Je veux que mon dernier commence son entraînement. Son autre dragnard est maintenant trop petit et pas très rapide.

— Excellence, dès que je retourne chez moi, je m'occupe personnellement de choisir la plus belle bête et la plus rapide du Dorado pour votre fils, mais ce n'est pas pour une question de dragnards que je veux vous entretenir.

— Ah, non ? De quoi alors, Sire Dagibold ?

— D'un phénomène bizarre, votre Excellence.

Il y eut un silence. Morina respirait à peine tandis que le roi tendit l'oreille, piqué d'une vive curiosité. Depuis un siècle et demi, tout le territoire vivait en paix. Tout jeune, le roi avait lu dans les écrits de la bibliothèque du royaume qu'il n'en avait pas toujours été ainsi. Il y avait eu des Envahisseurs venus d'ailleurs qui n'avaient fait qu'une chose. Ils s'étaient emparés des œufs de dragon, de tous les œufs du Dorado. L'histoire ne disait pas pourquoi ni si c'était voulu. Ce geste eut des conséquences. Il provoqua toute une chaîne de réactions violentes.

Les mères dragons ne trouvant plus leur progéniture dans leur nid s'attaquèrent aux mâles. Ceux-ci devinrent fous furieux. Retournant leur rage contre les humains et les magiciens, ils crachèrent du feu sur les maisons et se ruèrent sur les enfants du Dorado. N'ayant d'autres choix, il fallait les éliminer. Quelle décision difficile, abattre ces bêtes si majestueuses et représentant la fierté de chaque royaume. Ce fut la décimation des dragons, des dragons qui avaient bel et bien existé. Ainsi, ils furent tous exterminés. Cette triste histoire ne fut jamais racontée. Seuls le roi et les enchanteurs la connaissaient et ils n'en soufflaient mot à la population.

Une question demeurait : pourquoi s'étaient-ils emparés de ces œufs ? Sûrement une stratégie bien orchestrée par l'Envahisseur afin de s'assurer de l'extermination complète de la race des dragons à tout jamais sur le territoire. Son arrière-arrière-arrière-grand-père, le chevalier Guillaume X, qui était très vieux à l'époque, est mort sans en révéler davantage. « Est-ce qu'O'Neil aurait vu un Envahisseur ? Seraient-ils de retour ? Et cette fois-ci, que veulent-ils, puisqu'il n'existe plus de dragons ? Ont-ils même vraiment existé ? Les livres disaient-ils la vérité ? Est-ce une exagération de l'écrivain pour se rendre intéressant ? » C'étaient là bien des questions sans réponses que le roi se posait. Comme O'Neil, Wilbras V avait toujours cru que ce n'était qu'une invention d'un écrivain, pour se rendre intéressant, et que les Anciens et les enchanteurs la répétaient sous des formes encore plus imagées.

— Allons, parlez-moi de ce phénomène bizarre, dit Wilbras V en voulant casser ce silence étouffant.

— Majesté, hier, j'ai pu observer un gros nuage noir qui avait la faculté de s'immobiliser et de se volatiliser en peu de temps.

Le roi se mit à rire. Il n'en revenait pas que le meilleur éleveur du pays lui parle d'un phénomène atmosphérique. Il eut toute la misère du monde à contrôler son fou rire. Et dire qu'il avait craint qu'il ne parle d'Envahisseurs. Par contre, son épouse réagit différemment. Elle se releva de son siège et se mit à marcher d'un bout de l'estrade à son siège et vice-versa.

— Mon roi, mon époux, dit Morina d'une voix pathétique, je ne crois pas qu'il faille en rire. Il ne s'agit pas d'une plaisanterie. Hélas ! C'est peut-être un signe de la fin des protections.

Le roi ne se souvenait pas d'avoir lu à ce sujet. Il y avait peu de documents concernant les années qui ont suivi le départ des Envahisseurs. D'ailleurs, cette paix qui durait depuis des années, voire 150 ans, avait permis d'oublier cette période.

— Par les dieux, de quelles protections parlez-vous, ma douce ?

— Ma mère Ornémone a péri dans cette guerre, ainsi que mon père Erlos et bien d'autres fées et magiciens. De tout leur être, ils ont lancé l'ultime protection et en sont morts et… dit-elle d'une voix étranglée.

Elle ne pouvait plus rien dire. Elle était secouée de spasmes.

— Et… chuchota le roi comme si le pire était à venir.

— Et cette protection n'est pas éternelle. Je crains, mon doux mari, qu'elle vienne de prendre fin, ajouta-t-elle en pleurant.

Le roi mesura l'impact d'une telle révélation, il se cala dans son siège, incapable de parler. Comment est-ce possible que personne ne l'ait prévenu qu'il puisse y avoir une fin à cette protection? Pourquoi Éxir, le plus grand magicien au pays, ne l'avait-il pas informé ? Y avait-il une menace immédiate à cette paix qui durait depuis plus d'un siècle ?

— En jetant leur dernier sort, mes parents et bien d'autres sont morts en faisant ce suprême effort. Nous ne sommes pas éternels. Certes, nous vivons longtemps, mais les derniers instants sont pénibles. Nous nous pétrifions lentement et quoi de plus honorable que de mourir en jetant un sort de protection. Une chose me rassure. Ce suprême effort a fait en sorte que la pétrification soit instantanée. Ils sont tous morts au même endroit, au pied de la montagne, unis pour nous protéger.

— Les cheminées des fées, dit O'Neil. Jamais, je n'aurais cru que c'étaient vos parents. Moi qui pensais que ce n'était que l'érosion du sol sur des roches calcaires.

O'Neil se rappela ces sculptures près du lac Cristal. Une soixantaine de tas de roches s'élevant à plus d'1,50 mètre à 2 mètres, des colonnes insolites, aux formes élégantes et élancées.

— Oui, sire Dagibold, c'étaient mes parents, ma parenté et leurs amis, sanglota Morina.

— Et dire que, pendant tout ce temps, nous n'avons pas pensé que des Envahisseurs pourraient revenir. Comment avons-nous pu être aussi stupides? s'écria le roi en tapant avec force le bras de son trône.

Il trépignait sur son siège et observait son épouse totalement terrifiée. Elle gémissait.

— Nous n'avons aucune armée pour les combattre. Tout ce temps à vivre dans une paix surnaturelle et personne ne m'a rien dit, constata le roi.

— Même toi, ma douce reine, s'exclama Wilbras V en la regardant, tu ne m'as pas prévenu. N'es-tu pas une fée ?

— Je ne puis, hélas, lire l'avenir, répondit Morina en se rapprochant de son conjoint. Un seul le peut. Éxir.

— Hé bien, où est-il ton Éxir ?

— Chez lui, au domaine des Charmes.

La reine se rassit pendant que le roi se leva et se déplaça à son tour de long en large.

— Des Envahisseurs ! s'exclama O'Neil, étourdi par ce discours.

Jamais O'Neil n'avait entendu parler d'Envahisseurs, encore moins de protection et d'armées. Le roi était le seul humain à connaître ce terrible secret. Jamais de sa vie, Wilbras V n'aurait cru devoir confronter cette réalité. Il avait complètement oublié ces histoires qu'il croyait inventées de toutes pièces. O'Neil aurait bien voulu en savoir plus, mais le roi ne se fit pas bavard. Cette guerre qu'il avait lue dans un document, gardé scellé dans la bibliothèque royale, n'avait duré que quelques mois. Il réalisa que tout le monde, y compris les magiciens et les fées, avait oublié que cette paix n'était pas éternelle. Les Envahisseurs pouvaient revenir n'importe quand. Pour la première fois de sa vie, il eut peur et se mit à pleurer.

— Il faut qu'Éxir en soit informé. Il le faut, dit-il entre deux sanglots. Lui seul peut nous éclairer et trouver une issue. Et,... s'il le faut, la magie sera à nouveau permise.

Morina fut surprise, mais elle se garda bien de réagir à cette proposition. Enfin, l'Interdiction serait abolie. Son Art deviendrait accessible à nouveau. Elle pourrait recommencer à s'entraîner. Et pourtant, son mari ignorait qu'il faillait des heures et des heures d'entraînement pour se réapproprier la magie. Le Collège de la magie se devait d'entrer en fonction dès maintenant.

— Je me propose de le faire, dit O'Neil. Puis-je aviser mon épouse de cette mission, votre Excellence ?

— Je vous l'accorde, mais faites vite ! Trouvez-moi une Issue ! Qui sait si ces Envahisseurs nous attaqueront très bientôt ?

O'Neil en eut un frisson. Le pays qu'il connaissait pouvait à tout jamais être détruit par des êtres sanguinaires. La vie tranquille et sereine serait dorénavant du passé. Wilbras V poursuivit une discussion orageuse avec Morina, en ignorant complètement la présence d'O'Neil. Ils s'entretenaient d'écoles, de formations et de chevaliers. O'Neil essaya de comprendre quelque chose à cette discorde cacophonique. Au bout de quelques instants, il abandonna cette tentative. Il les quitta sans les saluer pour ne pas interrompre leurs vives discussions.

CHAPITRE 9

LE RETOUR DES ENVAHISSEURS

Sur l'heure du souper, O'Neil arriva chez lui. Il était heureux de retrouver sa demeure, un charmant manoir solide, tout en pierre. O'Neil descendit de son dragnard, une belle bête aux longs poils soyeux et blancs. La porte s'ouvrit. Pacifida, une fée très élancée aux yeux pourpres et à la chevelure blonde, apparut. Elle courut à sa rencontre. Melvin la suivit par-derrière et offrit à son père de reconduire Princesse à l'écurie, de la déharnacher et de la brosser. O'Neil remercia son fils avec tristesse. Le temps était doux et, sous la lumière magnifique du soleil couchant, les lieux prirent une allure paradisiaque. Il jeta un coup d'œil au-dessus de lui. Le ciel se couvrait. La pluie s'en venait.

Seule avec lui, Pacifida lui demanda pourquoi il avait pris autant de temps pour quitter le royaume Mysriak. Exténué, il ne répondit pas. Tout au long de son trajet, il revoyait la peur sur le visage de Morina et l'angoisse du roi. Le souverain avait parlé d'armées, de chevaliers, d'écoles de formation et de la connaissance perdue. Des mots n'ayant aucun sens. Il n'avait jamais entendu parler d'armées, de chevaliers et encore moins d'écoles. Tous les enseignements étaient transmis par la mère ou le père, pas par une école. Toutes ses interrogations, sans réponses, l'avaient épuisé.

Comment une école pouvait-elle enseigner adéquatement les besoins de chaque enfant ? O'Neil était le maître-éleveur et il enseignait les rudiments de soins à apporter aux dragnards à ses enfants. Olibert, un excellent forgeron, transmettait son savoir à ses trois fils de même qu'Eleuthère, un remarquable ébéniste, enseignait à sa progéniture l'art de travailler le bois, et ainsi de suite. Pacifida excellait en lecture comme les autres mères, malgré que ses matières préférées fussent les mathématiques et l'astronomie.

Il passa devant Pacifida et se contenta de la saluer mollement d'un geste de la main. Ils entrèrent dans la salle à manger. De la fumée s'échappait d'une soupière, placée au centre d'une grande table ronde. À la vue de leur père, les enfants se levèrent et le saluèrent comme le veut la coutume. Il s'assit et Pacifida lui versa un bon bol de soupe et lui coupa une énorme tranche de pain. Avant de se placer à côté de lui, elle trancha un morceau de pâté végétarien bien chaud, plein de lentilles et de noix, le mets préféré d'O'Neil. Quelques instants plus tard, Melvin revint s'attabler à côté de son père.

O'Neil entama sa soupe et, sous la pression des enfants qui le questionnaient, il raconta que le bon roi voulait d'autres dragnards, surtout après la démonstration de jeux d'adresse par Melvin. Aussitôt, Melvin se gonfla la poitrine remplie d'orgueil.

— Tu aurais dû voir, mère, comment Naura me regardait, dit Melvin.

— Tu veux sûrement dire comment elle regardait tes dragnards, souligna Andrick avec une pointe de malice.

— Melvin, tu deviens complètement gaga devant Naura, je te le jure, elle n'avait d'yeux que pour les dragnards, ajouta Éloïse avec un brin de jalousie, et non pour toi.

— Comment peux-tu dire une telle chose ? Je sais quand une femme me regarde, répliqua Melvin, surtout une jolie dame.

Avec sa démarche noble, Melvin faisait tourner toutes les têtes de la gent féminine sur son passage. Très soigné de ses vêtements, il avait toujours une chemise d'un blanc immaculé, un pourpoint vert olive et des bottes en daim kaki. Ses longs cheveux blonds bouclés, ses yeux bleus couleur de saphir et son sourire épanoui en faisaient un sujet d'admiration.

— Je ne sais pas si Naura t'a remarqué, mais elle fut surtout sensible à l'intelligence d'un des dragnards, celui qui est dans les tons de roux, dit O'Neil pour interrompre ce dialogue quelque peu belliqueux.

— C'est ce que je te disais, reprit Éloïse.

— Le roux, Droni ?

— Oui, Droni.

— C'est vrai qu'il est le plus intelligent du groupe. Je pourrais le lui donner, dit Melvin. Quoique mon spectacle, sans lui, perdrait de son intérêt. Bah ! J'en dresserai un autre. Demain, je vais l'apporter.

– Ah non ! Nous avons beaucoup d'autres choses plus sérieuses à faire que de courir comme un petit chienchien pour apporter un dragnard à ta belle, rétorqua O'Neil d'un ton sévère.

Andrick, Nina et Éloïse se mirent à rire. O'Neil se fâcha et leur ordonna d'arrêter leur tapage. Pacifida comprit l'irritation au ton de sa voix. Elle ne l'avait jamais vu si tendu. Ce n'était pas cette petite altercation entre ses enfants qui l'agaçait, il y avait autre chose.

– Vous devriez cesser de vous taquiner entre vous et surtout de taquiner Melvin. Aimer est un noble sentiment, déclara Pacifida avec douceur.

– Ce n'est pas nous, c'est père qui nous fait rire, dirent en chœur les jumeaux.

O'Neil repoussa son bol à demi entamé. Son autorité était contestée par ses propres enfants. Les jumeaux n'hésitaient pas à lui lancer une contre-attaque et à l'accuser de provocateur. C'en était trop. Il n'avait même pas la force de se fâcher.

– Le voyage m'a fatigué, je vais aller me coucher, dit O'Neil d'une voix éteinte.

Pacifida fut doublement surprise. Elle s'étonna qu'il soit sans énergie et de mauvaise humeur. Andrick, Nina et Éloïse se sentirent coupables d'avoir ri et les jumeaux, d'avoir rejeté la faute sur leur père. Ils regardèrent leur père quitter la table.

— Je te rejoins dans un instant. Éloïse fera la vaisselle, fit Pacifida en se relevant et en débarrassant la table.

Pacifida avait déduit qu'O'Neil voulait un tête-à-tête avec elle. Elle nota le dos voûté et le pas lent de son mari se dirigeant vers l'escalier.

— Mère, pourquoi moi ? Les jumeaux, ils ne font jamais rien, riposta Éloïse.

Elle regretta aussitôt sa réplique. Les bras chargés de vaisselle sale, Pacifida s'était retournée vers elle et ses yeux lançaient des flammes.

— Ne t'inquiète pas, leur tour viendra bien assez vite. Ce soir, tu fais la vaisselle, et c'est mon dernier mot, commanda Pacifida d'un ton choqué.

Elle reprit son calme. Elle n'avait qu'une idée : apporter un mets réconfortant pour son mari. Elle fit chauffer de l'eau et prépara du thé. Ensuite, elle plaça la théière sur un plateau avec les biscuits préférés d'O'Neil, ceux aux flocons d'avoine et aux raisins.

Pacifida monta l'escalier. Aussitôt que Melvin entendit sa mère pénétrer dans la chambre à coucher, il fit la leçon à sa sœur et aux jumeaux. Andrick fut le premier à s'excuser. Éloïse protesta. Elle n'était pas heureuse que sa mère lui impose toute la charge du ménage.

— Je peux t'aider, dit Andrick.

— Moi, aussi, enchaîna Melvin, tu as raison. Mère a tendance à tout te demander.

Tous se levèrent et nettoyèrent la cuisine. Pourtant, ils sentaient que quelque chose clochait. Pourquoi leur père si travaillant et plein de vigueur était si crevé ? Il avait l'habitude de voyager beaucoup et ce n'était certes pas un trajet si court, du palais royal à la maison, qui l'avait exténué. Il y avait autre chose. Sans qu'aucun mot ne soit prononcé, ils s'inquiétaient pour O'Neil. Ce père si confiant et si sécurisant de jadis n'était plus que l'ombre de lui-même.

Une fois arrivée à la chambre, Pacifida déposa le plateau sur la table de chevet placée à la droite du lit. Elle lui versa son thé. O'Neil fut ému et lui tendit la main pour qu'elle s'assoie près de lui sur le lit. Il prit une gorgée de thé. Le breuvage chaud détendit ses traits. Il lui raconta ses visions lors de la fête.

— Naturellement, il était de mon devoir d'informer le roi, dit-il.

Il continua en précisant que Morina devint subitement inquiète lors de son récit. En racontant les faits, il observa cette même agitation chez Pacifida. Elle parcourait de long en large la chambre. Il poursuivit en ignorant le comportement de son épouse, mais dès qu'il mentionna les mots Envahisseurs et protection, elle s'immobilisa. Manifestement, ces mots lui disaient quelque chose.

— Mais comment se fait-il que personne ne nous ait parlé de ces Envahisseurs ? souffla O'Neil. Ni de la protection.

— Quelle protection ?

Elle avait posé cette question d'une manière si rapide que ce fut comme pour camoufler une angoisse qu'elle cachait depuis longtemps.

— Celle exercée par les fées et les magiciens, transmit-il en délaissant son thé et en prenant la main de sa conjointe pour qu'elle se rassoie.

— Oui, je sais. Ça fait si longtemps. C'est un souvenir si pénible. Mon père et ma mère sont morts pour sauver le territoire et les espèces, dit-elle en le regardant droit dans les yeux.

« Les espèces, drôle de façon d'identifier les humains. Elle se croit donc supérieure aux humains ? Et pourtant, elle ne fait rien pour le démontrer », se dit O'Neil tout en admirant sa modestie et sa beauté.

— Je n'avais que trois ans lorsque les Envahisseurs sont arrivés. Je n'ai qu'un vague souvenir. Il y eut beaucoup de feu et de sang. Mon père avait réussi à me cacher dans une grotte avec d'autres enfants, une quinzaine. Ma tante Zéphire était responsable de nous. C'est pourquoi elle a été épargnée de la mort, puisqu'elle n'a pas participé à cette douloureuse et funeste manœuvre de sauvetage, s'émut Pacifida.

— Ce n'est que quelques jours plus tard que nous avons constaté la mort de nos parents, de notre parenté et des autres. Ils ont créé un sortilège puissant. Tous ensemble, ils ont bâti la Protection et sont morts d'épuisement au pied de la montagne, près du lac Cristal. Tu sais, un magicien ou une fée en mourant se métamorphose en pierre. Ils sont morts debout, ajouta-t-elle avec fierté.

O'Neil hocha la tête. Habité par des pensées sombres, il pouvait à peine croire qu'elle mourrait un jour et qu'elle se transformerait en pierre alors que lui, il se transformerait en poussière de nombreuses années avant elle. Des larmes coulaient le long de ses joues creuses. Elle sortit un mouchoir de dentelles de sa manche. Elle aussi retenait tant bien que mal ses pleurs. Elle essuya ses yeux. Elle doutait ou refusait d'imaginer qu'il y ait une possibilité de retour des Envahisseurs. Si c'était vrai, il fallait se préparer à une guerre cruelle.

— Et dire que, lorsque je passais devant ces sculptures grandioses, j'avais l'impression que ce n'était qu'un phénomène naturel d'érosion. Jamais, je n'aurais cru que c'était un cimetière. Je te voyais bien pleurer, je me disais que tu étais aussi impressionnée que moi devant ces splendeurs. Pourquoi m'as-tu caché cette vérité ?

— C'est bien involontairement, mon cher époux, 150 ans ont passé. Depuis que je te connais, je vis le bonheur parfait. Je n'espérais pas avoir autant d'enfants, quatre enfants en peu de temps, c'est chose rare chez nous, les fées. Ce triste Événement s'est vite effacé de ma mémoire depuis que je vis les plus beaux moments de mon existence avec toi.

— Le roi m'a chargé de me rendre au domaine des Charmes pour y rencontrer le grand maître Éxir. D'après notre reine, il serait le seul à trouver une issue. Est-il un grand magicien, aussi grand qu'on le dit?

— Assurément. Lui seul saura où nous en sommes, il a les connaissances, affirma-t-elle. Il trouvera une issue.

Elle se rappelait Éxir, un magicien étonnamment doué pour ses 163 ans. Elle n'avait qu'un vague souvenir de lui. Depuis 19 ans, elle s'était mariée et n'avait jamais quitté le manoir, une belle habitation bâtie des mains mêmes de son mari. Pendant tout ce temps, elle s'était consacrée à une seule chose : sa famille. En y réfléchissant, un espoir se dessinait à l'horizon : revoir le grand maître. À bien y penser, ce n'était pas une si mauvaise nouvelle. « Peut-être que l'Interdiction sera révoquée. Oui, peut-être. Et alors… je pourrai à nouveau exercer le Grand Art, se dit-elle. La revanche de la magie. »

— J'ai bien peur qu'un grand malheur plane au-dessus de nos têtes. Je t'y conduirai, fit Pacifida en brisant le silence.

— Non, j'irai seul. Tu dois surveiller le domaine. Si jamais il y avait une attaque, toi seule pourrait protéger nos biens.

À l'entendre, il avait l'air de croire qu'elle pourrait sauver le domaine lors d'une attaque, alors qu'elle connaissait à peine quelques petits tours de magie, si peu de trucs. Elle soupira de résignation.

CHAPITRE 10

LES CHARMES

La pluie avait cessé pendant la nuit. Au petit matin, des milliers de gouttes d'eau brillaient au soleil. Des vapeurs d'eau s'élevaient. Un paysage ouateux. O'Neil contempla ce panorama ravissant. L'air frais le ragaillardit. Il s'apprêtait à partir. Il chargea Bombi de nourriture et de couvertures et attela Princesse. Malgré l'heure matinale, les enfants l'entourèrent et lui posèrent des tas de questions sur Éxir.

– Éxir est le plus grand magicien du pays. Il est aussi le plus grand fabricant de baguettes magiques, finit-il par avouer pour leur fermer le clapet.

— De baguettes magiques ! s'exclama Nina.

— Oui, les baguettes magiques sont faites en bois de charme, un bois très dur et quasi incassable, confirma Pacifida.

— Pourrais-je en avoir une ? demanda Nina tout excitée.

— Dès que tu deviendras une fée, répondit Pacifida.

— Et si je ne deviens pas une fée ?

— Elles sont complètement inutiles si tu n'en deviens pas une. À tes 13 ans, tu le sauras, affirma sa mère.

Pacifida savait comme Morina que cette transformation pourrait arriver précipitamment et qu'elle ne se ferait pas sans douleur. Il était logique de penser qu'Andrick et Nina vivraient cette transformation en même temps, car ils étaient jumeaux. Sans pouvoir se l'expliquer, Pacifida pressentait que c'était pour bientôt et, pour une raison inconnue, elle appréhendait que les jumeaux ne le vivent pas au même endroit. Pire encore, ni l'un, ni l'autre ne seraient près d'elle au moment crucial. Cette prémonition d'apparence invraisemblable la foudroya. Jamais, elle n'avait eu une vision aussi claire et aussi nette.

– Dans deux ans, c'est beaucoup trop long. Père, achetez-moi une baguette !

– Moi aussi ! insista Andrick tout à coup intéressé par le sujet.

– Par les dieux, qu'est-ce que vous avez mangé ce matin ? Il n'est pas question d'acheter des baguettes.

– Surtout que les acheter avant le temps serait une malédiction, mentit Pacifida tout en tremblotant de son pressentiment.

Les fées ne mentent pas. Ainsi, O'Neil la regarda d'une manière étrange et se demanda si cela était possible. Il vit Pacifida cligner des yeux. Il comprit qu'elle racontait une salade. Il lui sourit.

– Bien sûr, les baguettes magiques sont destinées uniquement aux fées et aux magiciens. Si jamais ces baguettes tombaient entre les mains d'un être sans magie, le mauvais sort s'acharnerait sur lui, dit O'Neil pour renforcer le mensonge.

Melvin, Éloïse, Andrick et Nina émirent un cri de stupeur. O'Neil fut surpris du succès de son mensonge et constata qu'ils l'écoutaient avec attention.

– C'est pour cette raison que mère la porte constamment sur elle et nous défend d'y toucher ? demanda Éloïse.

– Oui, répondit O'Neil avec un certain remords d'en ajouter. Bon, je serai parti pour plusieurs jours. Ne faites pas trop de misères à votre mère.

– Père, pourquoi vous rendez-vous chez Éxir ? demanda Melvin.

– Le roi m'a confié une mission, répondit O'Neil.

– Quelle mission ? demanda cette fois-ci Andrick.

– Ça, mon enfant, c'est une affaire entre moi et le roi.

Il embrassa ses enfants et sa conjointe. Il enfourcha Princesse et observa le ciel un long moment. Tout semblait normal. Aucun nuage suspect. Il donna un léger coup de pied dans les flancs de Princesse. Elle déploya ses ailes et s'envola. Bombi fit de même et il les suivit. O'Neil s'éloigna le cœur lourd, fou d'inquiétude pour sa famille. Il les laissait seuls. Il redoutait une attaque et cette pensée l'angoissait. Ces Envahisseurs, étaient-ils sur le point d'attaquer le pays ? Même Princesse semblait agitée.

✣ ✣ ✣

La dernière heure de son voyage lui parut anormalement longue. Il fut heureux d'arriver à l'orée de la forêt. Il plana au-dessus d'un magnifique boisé. Les charmes étaient des arbres majestueux au feuillage dense. Les étals de boucher et les maillets étaient fabriqués avec ce bois très apprécié pour sa résistance. Puis, l'océan lui apparut, une immense étendue d'eau d'un bleu indigo. Il survola les lieux à la recherche d'une résidence. Enfin, il la repéra. Il y vit une grande chaumière construite en pierres dont la façade principale donnait sur l'océan Brak. Une construction étrange. Il y avait un nombre anormal de cheminées, plus de sept. Une tour bizarre, avec un objet cylindrique pointant vers le ciel, dominait le toit du côté est. Princesse s'inclina avec grâce et s'immobilisa à l'avant du bâtiment sur une plage blanche et sablonneuse. Bombi atterrit non loin de là. La porte s'ouvrit. Un homme grand et mince apparut, vêtu d'une longue robe bleue. Il portait un chapeau jaune, rond et plat sur la tête, bordé d'une large ligne bleue décorée d'étoiles blanches. Malgré ses 163 ans, sa chevelure était forte et d'un noir uniforme. Sa démarche alerte et vive révélait une excellente forme physique.

— Maître Éxir ? demanda O'Neil.

— Oui, c'est moi.

— O'Neil Dagibold, fit-il en s'inclinant.

— Inutile de vous présenter, vous êtes connu sur tout le territoire. Vous êtes la personne la plus appréciée auprès de notre souverain et par le fait même, de moi. Entrez ! Qu'est-ce qui me vaut votre visite ? demanda-t-il en se retirant pour laisser passer son visiteur.

— C'est le roi lui-même qui m'envoie.

— Je sais, admit-il. J'avoue que la question n'en était qu'une de politesse. Je l'ai lu. Venez, entrez.

En effet, Éxir n'apparaissait nullement étonné de la présence d'O'Neil. Au contraire, il semblait impatient de le rencontrer. Il était évident qu'il avait revêtu ses plus beaux atours et l'attendait depuis un certain moment. O'Neil lui demanda ce que signifiait cette phrase : « Je l'ai lu. »

— Oui, je lis les pierres, dit Éxir voyant l'air étonné de son visiteur.

O'Neil n'avait jamais entendu parler de documents écrits sur des pierres. Au royaume, on écrivait sur du parchemin depuis un bon nombre d'années. L'âge de pierre était révolu depuis des siècles.

Personne ne prenait le temps de graver des mots sur des pierres. Éxir, qui avait le pouvoir de lire dans les pensées, pouffa de rire.

— Non, ce n'est pas ce que vous croyez. Venez, je vais vous montrer!

Il le conduisit dans un petit local à l'arrière du séjour. Au centre, une immense pierre gris charbon, mesurant deux mètres sur trois, oscillait étrangement sur un socle, lui aussi en pierre. En s'approchant, O'Neil remarqua la surface supérieure, une surface noire et lisse. Éxir y appuya ses deux mains. La pierre s'immobilisa et la surface devint transparente. On y voyait ce nuage inquiétant, mais rien de plus. Éxir l'interrogea.

— Où te trouves-tu, Grand Voyageur?

Un M apparut suivi d'un Y puis d'un S, R, I, A et d'un K. Ils apprirent que le nuage survolait présentement le château Mysriak.

— Quelle est ton intention? demanda Éxir.

La surface redevint transparente. Éxir reposa la question. Elle demeura silencieuse. La pierre pouvait répondre à bien des questions, déduire et renseigner. Bien que magique, certaines choses fuyaient, comme une faille. Les limites de la pierre. Éxir poussa un soupir. Son intuition lui disait qu'un grand malheur s'en venait et ça, la pierre le savait. Toutefois, elle n'était pas en mesure de le voir clairement. Des ondes maléfiques brouillaient cette vérité. La surface redevint opaque et noire. Elle n'avait plus rien à dire.

— Rien pour rassurer notre roi, conclut O'Neil.

— En effet. Jusqu'à ce jour, ce nuage ne fait que survoler nos terres, précisa Éxir. Ce nuage, je l'ai baptisé le Grand Voyageur. Ce qui me trouble, c'est son acharnement à rôder autour du château. Que cherche-t-il ou que veut-il ? C'est là la question.

O'Neil tressaillit et vit une expression d'impuissance et de peur chez Éxir.

— Venez au salon prendre un thé ou plutôt montons à l'étage !

Ils traversèrent une autre pièce, l'atelier de fabrication de baguettes. L'endroit était invitant et possédait quatre foyers, ce qui expliquait quelques-unes des nombreuses cheminées à l'extérieur. Des centaines de baguettes étaient disposées à la verticale sur des tablettes. Il y en avait de toutes les couleurs et de toutes les longueurs. Il y avait du côté est un tout petit escalier abrupt qui montait à l'étage. Éxir s'y dirigea. O'Neil le fixa. Il ne pouvait pas croire qu'il faille emprunter ce frêle escalier qui aboutissait à une ouverture étroite, fermée par un panneau en bois mal foutu.

— Montez ! Vous verrez bien ce qu'il y a plus haut, dit Éxir d'un ton enjoué. De plus, je vous laisse passer le premier.

O'Neil grogna. Il avait l'impression qu'Éxir se moquait de lui. Il s'abstint de tout commentaire. Il monta et poussa le panneau. Au haut de l'escalier, il y avait une grande fenêtre où était installé un appareil cylindrique en laiton de fortes dimensions, braqué vers l'extérieur. O'Neil comprit qu'il se trouvait dans la tour de la chaumière, celle qui, du haut du ciel, avait un air bizarre et dysfonctionnel. Il avait remarqué sa forme ronde, haute et sans attrait.

Contrairement à ce qu'appréhendait O'Neil, l'intérieur était agréable. Il comprit qu'Éxir était fier de cet endroit chaleureux, sa pièce favorite. Un bel espace rond et en pierres des champs. De nombreux coussins bleu ciel jonchaient le périmètre. D'un simple coup de baguette, Éxir fit apparaître une théière en cristal fumante. Au deuxième coup de baguette, deux verres et une petite table, également en cristal, émergèrent de nulle part. Au troisième coup de baguette, du fromage de chèvre, du pain et des condiments apparurent.

O'Neil fut sur le point de lui rappeler que la magie était défendue. Il s'en abstint. Après tout, il n'était pas chez lui et elle serait peut-être la solution pour sauver le pays encore une fois. D'ailleurs, le roi n'avait-il pas dit : « Et... s'il le faut, la magie sera à nouveau permise. » ?

— C'est un vrai bijou, ce télescope, dit Éxir en s'approchant de l'objet métallique.

— Un télescope, répéta O'Neil.

— Oui, Sire Dagibold, un télescope. Il permet de voir de plus près les étoiles.

— Ah ! émit O'Neil.

« C'était bien une folie de magiciens, admirer les étoiles, pensa-t-il. O'Neil ne comprenait pas l'importance d'observer les étoiles de plus près. Pourquoi les examiner quand il y a tellement d'autres choses à faire ? Les magiciens avaient vraiment du temps à perdre. »

— Je ne me lasse pas d'admirer les étoiles, dit-il en mettant un œil vis-à-vis la lentille.

— Venez, ajouta-t-il.

O'Neil s'approcha de l'instrument et fit comme lui. Les étoiles si lointaines lui parurent plus proches et plus brillantes. Certaines étoiles brillaient comme des diamants dans un écrin de velours bleu royal, d'autres avaient des halos ou des particules éclatantes de couleurs multiples qui dessinaient des arabesques incroyables. Le spectacle était magnifique. Il dut se raviser. C'était là un bien bel instrument fort intéressant. Il aurait bien passé des heures à s'extasier devant cette représentation éblouissante.

– Hélas ! Ce télescope ne voit que ce qu'il veut bien nous laisser voir, soupira Éxir.

– Que voulez-vous dire ? demanda O'Neil.

Éxir lui fit signe de se rasseoir et lui versa du thé.

– Le fameux nuage noir, hier encore, survolait l'océan. C'est un nuage opaque et je peux déceler une fumée épaisse et du métal, c'est tout ce que je peux voir. Ce n'est pas un nuage ordinaire.

– Je le savais, dit O'Neil en soufflant la vapeur qui se dégageait de son thé. Pour la première fois de ma vie, je me fais du mauvais sang, non seulement pour moi, mais pour le roi et son épouse, ainsi que pour tous les sujets de notre beau et vaste territoire.

— Comme déjà dit, ce nuage, je l'ai appelé le Grand Voyageur. Il vient d'un autre lieu, un lieu inconnu. Heureusement, les gens de notre magnifique Dorado ne sont pas au courant de ce Voyageur. Croyez-moi, il y aurait beaucoup d'agitations. La peur d'une force inconnue est la pire crainte pour créer un affolement général.

O'Neil raconta ce qu'il savait des Envahisseurs. Dès qu'il prononça ce mot, Éxir hocha la tête en frissonnant et prit une gorgée de thé. O'Neil poursuivit en ignorant l'expression d'horreur qu'il lisait sur son visage. O'Neil émit l'idée que ce nuage était peut-être le camouflage d'un animal quelconque flottant dans les airs.

— Il s'agit plutôt d'un transporteur céleste, un vaisseau spatial, énonça Éxir d'une voix grave, qui a l'apparence d'un nimbus.

— Un vaisseau spatial ? Vous voulez dire qu'au lieu de voyager sur l'eau, il voyage dans les airs.

— Oui.

O'Neil avait déjà vu une embarcation de plaisance naviguer dans la baie des Forges.

Mais ce petit bâtiment flottant n'allait jamais très loin. Juste des petits allers-retours le long des côtes.

— Mais comment est-ce possible ?

— Par la magie.

— Il y a donc d'autres fées et magiciens.

— Bien sûr, nous ne sommes pas les seuls, dit Éxir étonné de sa naïveté. Il y a de nombreuses années, j'ai écrit un livre qui illustre mon propos. Je l'ai appelé : *L'aube des magiciens*. Je crois qu'il y a d'autres formes de vie, d'humains et de magiciens ailleurs dans l'univers. Tout ce qui existe à Dorado, forcément, existe ailleurs. L'infiniment petit et l'infiniment grand, ajouta Éxir.

— Que voulez-vous dire, maître Éxir ? demanda O'Neil.

— Notre continent foisonnait de dragons il n'y a pas si longtemps de cela, répondit Éxir.

— Il y avait des dragons, reprit O'Neil. Moi qui croyais que les dragons étaient des inventions. Ils ont vraiment existé ?

— Oui.

— Mais, il n'en existe plus ?

— Oui, il en reste cinq bien cachés, mais je n'en connais qu'une sur notre territoire.

— Une… Vous insinuez que c'est un dragon femelle !? s'exclama O'Neil de plus en plus surpris.

Éxir acquiesça de la tête.

— Pourquoi personne n'en parle ? D'abord, il y a les Envahisseurs, puis la protection, un vaisseau céleste et je ne sais pas combien d'autres histoires que vous nous cachez, lança O'Neil en le pointant.

— Nous n'avons rien caché, juste oublié, dit calmement Éxir.

— Oublié un tel événement, est-ce possible ? s'écria O'Neil de plus en plus irrité.

— C'est vrai. Nous nous sommes endormis dans cette paix qui durait depuis plus d'un siècle et, maintenant, nous allons payer le prix de notre inaction. Il ne reste plus beaucoup de magiciens et de fées. Personne ne sait ce qui se passe au-delà de l'océan et des montagnes. Ce vaisseau n'augure rien de bon. Les gens de l'au-delà peuvent attaquer quand ils le veulent. Nous sommes maintenant vulnérables ; nous n'avons aucune armée.

— Une armée, qu'est-ce que c'est ? demanda O'Neil.

— Vous ne savez pas ce que c'est ?

– Non, je n'ai jamais entendu parler d'armée.

– Personne ne vous l'a enseigné ?

– Non.

– Par les esprits des dieux, nous nous sommes vraiment endormis dans cette paix si douce qui nous apparaissait éternelle ! dit Éxir en lui tendant l'assiette de fromage.

– Une armée est un ensemble de gens formés et entraînés pour défendre un royaume. Autrefois, chaque royaume avait une armée. Nous avions des dragons et des chevaliers. Ils sont tous morts, ajouta Éxir.

– Alors, nous sommes dans le pétrin. Plus de chevaliers et un seul dragon, dit O'Neil en mordant dans un morceau de pain garni de fromage.

– Non, nous ne sommes pas dans le pétrin. Nous avons des dragnards. Ils sont plus efficaces que les dragons, plus petits que les dragons, mais plus endurants que ceux-ci. Croyez-moi, les dragnards sont de bons animaux, plus faciles à entraîner que les dragons et surtout plus obéissants.

– Mais d'où viennent les dragnards ? demanda O'Neil qui doutait maintenant de tout.

— Ils ont toujours existé. C'est votre arrière-arrière-arrière-grand-père qui a réussi à créer d'année en année une espèce de plus en plus grande. Les premiers dragnards étaient aussi petits qu'un chaton. Vos aïeuls ont amélioré la race à force de chercher les meilleurs et à les croiser avec ceux qui étaient légèrement plus grands. Et surtout, ils les nourrissaient bien. Ils ont créé des dragnards de plus en plus grands. L'espèce s'est développée et s'est diversifiée à chaque génération. Je crois bien que les plus grands ont atteint leur taille définitive… hum!… Je peux me tromper. Après tout, je ne suis pas un spécialiste de la génétique.

Tout à coup, O'Neil fut soulagé de savoir que cette vérité était la même que celle qu'il connaissait. Il reprit un autre délicieux morceau de fromage.

— Les humains n'utilisent pas la magie, mais ils réussissent des prouesses plus grandioses que la magie grâce à leur imagination. Il m'arrive de vous envier. Nous, les magiciens, avons tendance à vouloir tout régler par la magie, alors qu'il existe d'autres façons de faire, ajouta Éxir. Prenez par exemple ce pain et ce fromage, ce sont des inventions humaines et par-dessus le marché, des erreurs. J'ai la conviction que nous trouverons bien un moyen de nous défendre contre cet ennemi en combinant notre magie et votre imagination.

— Mais quand même, un seul dragon. C'est comme dire que nous sommes sans dragon.

— Nous ne sommes pas sans dragon, lâcha Éxir d'un ton fâché.

— Maître, je ne veux pas vous offusquer, c'est cependant un dragon femelle.

— Oui et elle s'appelle Inféra, dit Éxir encore indigné.

— Quel joli nom ! s'exclama sarcastiquement O'Neil. Quand pourrais-je la voir, cette Inféra ?

— Pas vous.

— Si ce n'est pas moi, qui le pourra ?

— Votre femme ou…

— Pourquoi, par les dieux, je ne pourrais pas ? s'énerva O'Neil en déposant son verre sur la table de cristal.

« Encore un autre secret ! » se dit O'Neil. Il ne connaissait que quelques bribes d'un événement qui avait changé le cours du pays et, maintenant, tout un mystère entourait un dragon femelle. D'un coup de main, il enleva des miettes de pain sur ses vêtements et se leva. C'en était trop.

— Parce que vous êtes un homme, annonça Éxir d'une voix calme.

« Bien sûr que je suis un homme, mais qu'est-ce qu'il raconte ? » se demanda-t-il. Son calme le réconcilia. O'Neil se rassit.

— N'est-ce pas les hommes qui peuvent chevaucher les dragons ?

— Si, mais pas Inféra. À moins d'un miracle, mais les chances sont contre nous, un jeune homme ou…

— Un miracle ? La magie ne suffit pas, ironisa O'Neil.

Voyant l'incrédulité de son hôte et ne voulant pas s'emporter contre lui, Éxir soupira et dit :

— Il se fait tard. Demain, je continuerai cette conversation.

Éxir se releva. D'un coup de baguette, il fit disparaître table, théière et verres. Ils redescendirent à l'atelier.

— Demain, je vais vous montrer un bâtiment important pour nous, les magiciens, dit-il une fois au bas de l'escalier.

— Ah oui, quoi ?

— Le Collège de la magie.

– Qu'est-ce que c'est ?

– Une école d'apprentissage.

– Hé bien, j'en serai honoré.

Près d'une fenêtre, il y avait un lit étroit. Éxir l'invita à rester pour la nuit. O'Neil le remercia de son hospitalité. Il s'installa pendant qu'Éxir s'éloigna et pénétra dans une petite pièce près du salon, ce qui devait être sa chambre.

O'Neil eut du mal à dormir. Il revoyait le dragon sur la Coupe d'or. Un animal monstrueux avec une longue queue dotée d'innombrables pointes acérées. Puis, il revoyait les visages du roi et de la reine déformés par la douleur. Derrière eux, le dragon les enflammait en crachant du feu. Enfin, Éxir apparut et, d'un coup de baguette, il éteignit les flammes jaillissant de partout au château. O'Neil se sentit frapper d'un coup de patte lui déchirant le visage et le projetant dans les cieux. Il atterrit durement sur le sol et là, au-dessus de lui, il y avait un dragon dont la bouche était ouverte démesurément. Une odeur perfide s'en échappait. Éxir lui hurlait :

– Non, Inféra, ne le tue pas.

C'est à ce moment qu'il se réveilla en sueur. Comment un dragon femelle pouvait-il avoir un air si hideux ? Il replaça son oreiller et se retourna dans son lit pour la millième fois. Ce rêve, ou plutôt ce cauchemar, était tout simplement absurde.

Assis dans son lit et regardant au-dehors le ciel étoilé, il repensa à ce qu'avait dit Éxir. Ce dragon devait être conduit par une femme. C'est du moins ce qu'il avait cru comprendre. Il imagina ce dragon femelle avec de longs cils et quoi d'autre ? Peut-on tomber en amour avec un dragon ? C'est inimaginable. O'Neil se souvint qu'Éxir avait cependant suggéré qu'il y avait une autre personne qui pouvait s'approcher d'Inféra, mais il l'avait interrompu. Il doutait que ce soit lui, la personne toute désignée pour cette mission. Puis, il essaya de s'endormir en pensant à Pacifida et à ses beaux enfants, surtout à Andrick, l'intrépide. Lui, il n'hésiterait pas à rencontrer ce dragon. Au contraire, il bondirait sur Frivole et s'envolerait à la vitesse d'un éclair. Pourquoi ne pouvait-il pas être aussi enthousiaste que son fils ? Au lieu de cela, une angoisse lui collait à la gorge.

CHAPITRE II

LE COLLÈGE DE LA MAGIE

Tôt le lendemain matin, Éxir le conduisit du côté est de la chaumière, à l'arrière de la tour qui abritait le télescope. O'Neil se demanda pourquoi il s'arrêta devant un mur couvert de vignes et de ronces.

– Sire Dagibold, voilà tout ce qui reste de notre beau collège, dit Éxir.

– Un collège ? Maître Éxir, je ne veux pas vous décevoir, je ne vois qu'un tas de vieilles branches asséchées et sans vie, s'exprima O'Neil en en soulevant une.

– Sire, il faut faire un petit effort mental, fit Éxir en roulant les yeux, nous sommes au pied du mur du Collège de la magie qui n'est plus en fonction depuis de nombreuses années.

— Justement ! Je ne vois qu'un vieux mur, s'impatienta O'Neil, pas un collège, maître !

Éxir avait envie de changer O'Neil en crapaud. Ce dernier comprit que son vis-à-vis était à bout de patience et qu'il valait mieux être attentif.

— Vous voulez dire qu'il y a un collège derrière ces broussailles ?

— Oui, un magnifique collège, répondit Éxir d'un ton aigri.

— Ce collège pour les magiciens a vraiment existé ? demanda O'Neil d'un ton étonné. Est-ce une sorte d'école pour les apprentis magiciens ?

— Oui, en effet, Sire Dagibold, nous y formions des centaines de magiciens et de fées. Nous avions des cours d'incantations, de potions, de transformations et de vols, s'enthousiasma Éxir.

— Mais ce mur ne ressemble en rien à un bâtiment.

D'un coup de baguette, tout ce qui adhérait au mur de pierres s'évapora. Un mur solide d'un bâtiment haut et vaste se révéla.

Éxir fit signe à O'Neil de marcher vers la gauche. O'Neil obéit et découvrit deux portes monumentales en chêne, maintenues fermées par un énorme cadenas fixé à une chaîne massive. D'un autre coup de baguette, le cadenas se brisa et les portes s'ouvrirent. L'entrée était poussiéreuse et pleine de toiles d'araignée. Encore une fois, Éxir utilisa la magie. Une boule de feu déferla à l'intérieur de la place. Un long vestibule apparut et donnait accès à un grand hall circulaire. Des sièges en velours rouge étaient alignés au périmètre. Au plafond, des chandeliers suspendus en or illuminaient cette pièce. Les murs étaient décorés de six peintures. Ébahi, O'Neil parcourut lentement le hall en s'attardant à chaque toile. C'était de grands tableaux représentant des personnages dans une position d'autorité. Chacun d'eux tenait entre ses mains un objet différent et avait le regard noble et lointain.

– Ce sont les directeurs du collège, indiqua Éxir.

– Des magiciens, je suppose.

– Oui, qui sont tous décédés lors de l'Événement.

Ils continuèrent leur visite et débouchèrent dans la cafétéria, les salles de classe, les salles d'expérimentation et les dortoirs. Ils traversèrent le collège d'un bout à l'autre. Ils sortirent à l'extérieur où d'épais taillis leur coupaient la vue. D'un autre coup de baguette, Éxir débroussailla les environs. À quelques mètres, une construction circulaire émergea.

— La bibliothèque, dit Éxir en projetant son bras vers l'avant, le lieu des connaissances.

Ils pénétrèrent dans cet espace bien éclairé sentant la cire et le citron. La lumière naturelle provenait du plafond, par un immense dôme en verre transparent. Suspendus par des fils d'argent, des milliers de cristaux renvoyaient la lumière dans tous les recoins de ce lieu parfaitement circulaire. Tous les murs étaient occupés par des immenses bibliothèques munies d'échelles sur rail. Elles se déplaçaient aux convenances des utilisateurs. La seule bibliothèque qu'O'Neil avait déjà visitée, c'était celle du château Mysriak. Elle se résumait à quelques rayons de livres. Ici, les lieux étaient vastes et lumineux. Une centaine de tables étaient disposées au centre. Des lampes en forme de clochette éclairaient la surface de chacune des tables recouvertes de cuir noir.

O'Neil retira un bouquin. Éxir le laissa savourer cet instant. O'Neil constata l'excellente condition du livre et il le porta à son nez. La reliure sentait le cuir poli. Il l'ouvrit et renifla l'intérieur. Il huma cette bonne odeur de papier fait à la main. Il s'installa à une table. Il le parcourut en diagonale et lut de nombreuses pages. Il replaça le livre et ses doigts en cherchèrent un autre. Il était plus lourd que le premier. De nombreuses illustrations décoraient les pages. Il le replaça.

— C'est incroyable, dit O'Neil, pâmé d'émerveillement devant une si grande quantité de bouquins. J'y passerais des années à lire tous ces livres. Que de savoir, il y a ici !

— En effet. Vous pourriez y avoir accès, je vous donne ma parole.

— Vraiment ? se demanda O'Neil.

— Oui, vous seriez ainsi le premier hobereau à accéder au Collège de la magie si vous réussissez à chevaucher Inféra, car je ne connais pas de meilleur dresseur que vous. Je sais qu'elle n'a pas volé depuis une centaine d'années.

— Je serais heureux de le faire, mais il m'a semblé détecter une difficulté.

– Oui, dit d'un ton songeur Éxir. C'est une femme.

– Oui, vous l'avez dit moult fois, c'est un dragon femelle, confirma O'Neil.

– Non, c'est une vraie femme. Elle a le pouvoir de se transformer en dragon.

– Et quel est donc le problème ?

– Sa beauté.

– Ah ! Elle n'est pas la première femme à être jolie, émit O'Neil, qui ne comprenait toujours pas les propos d'Éxir. Je suis un homme marié et je me garde de séduire les autres demoiselles du pays. Je vous assure que…

– C'est que sa beauté est ensorcelante, l'interrompit Éxir.

O'Neil partit à rire. Il n'avait jamais entendu de pires sottises. Éxir fut choqué. Insulté, il ne voulut pas continuer. Il quitta la bibliothèque. O'Neil le suivit en multipliant les excuses. Mais rien n'y fit. Il demeura fermé comme une huître.

Arrivé à sa chaumière, Éxir était partiellement déchoqué. Un malheur planait sur le pays et il avait besoin d'O'Neil. Il se calma. En rentrant, O'Neil demanda pardon une énième fois pour son insolence. Étant donné la menace imminente sur le territoire,

Éxir se résolut à passer l'éponge sur ses agissements inconvenants. Il lui raconta que les dragons ne peuvent se métamorphoser. Pour assurer la conservation des espèces, les magiciens et les fées ont conçu un plan pour leur sauvegarde. Cinq jeunes fées et magiciens furent choisis pour devenir les porteurs de dragons. Un œuf de dragon a été inséré en chacun d'eux.

— Quelle horreur, s'écria O'Neil. Est-ce possible ?

— Bien sûr, ils ont créé une permutation. Mais qu'est-ce qu'il y a de si terrible ?

— Imaginez, maître, ma femme Pacifida se transformant en dragon, ce serait terrible ! lâcha tristement O'Neil

— Ah bon ? Je n'y avais pas pensé.

— Est-ce que c'était volontaire ?

— Volontaire ?

— Est-ce que les cinq voulaient cet œuf en eux ?

— Ma foi, je n'ai pas trop pensé à cela. Ce sont mes parents qui ont permis cette permutation. Inféra en était une demeurant sur nos terres. Les autres œufs ont été transportés ailleurs, au-delà des montagnes. C'est tout ce que je sais.

O'Neil l'écouta avec attention. Éxir craignait qu'il le ridiculise et prétende que ce n'était qu'une légende de l'arrière-pays. Au lieu de cela, il le crut et admit l'urgence de constituer une armée, au grand soulagement d'Éxir.

— Oui et ce sera l'armée des Chevaliers du Dragon rouge. De mémoire, Inféra est un superbe dragon rouge, dit Éxir fier de sa trouvaille.

Éxir lui fit part de son souhait de rencontrer Inféra le plus tôt possible. Il craignait que, très bientôt, tout le Dorado ait besoin de son aide. Mais, il y avait un obstacle et il était de taille. La première personne désignée pour la rencontrer devait être une femme, plus particulièrement une fée. O'Neil se résigna. Il accepta ces explications saugrenues et promit de demander à sa femme Pacifida d'y aller avec lui.

Juste avant de partir, Éxir remit une lettre cachetée.

— Sire, c'est pour votre épouse, lady Pacifida, une offre officielle.

Devant l'air surpris d'O'Neil, Éxir le rassura.

— C'est une offre tout à fait à sa hauteur. Je veux qu'elle vienne enseigner ici comme professeur de cultures de plantes magiques à temps plein. Depuis l'Interdiction, personne ne pratique le Grand Art ou du moins pas assez. Il faut rétablir l'harmonie d'antan et la magie en fait partie. Le souverain a enfin reconnu qu'il ne peut s'en passer.

— Mais, il n'a pas formellement révoqué cette loi, à ce que je sache.

— Hélas, on ne peut plus attendre ! La menace est là.

— Mais qui va prendre soin du domaine ?

— Mon cher Dagibold, je suis surpris de votre réaction. À mon avis, vos enfants sont en âge de prendre leurs responsabilités et c'est maintenant à notre tour de prendre en charge notre pays. Seule la magie peut combattre la magie.

— Et l'armée ?

— Et l'armée aussi. Et, vous allez être un chef extraordinaire. Croyez-moi, je ne vois que vous pour cette tâche.

O'Neil le prit comme un compliment. Il lui exprima sa gratitude. Cependant, plusieurs questions lui brûlaient les lèvres. « Comment entraîne-t-on un dragon ? Comment devient-on chevalier ? Comment dirige-t-on une armée ? » Éxir lut dans ses pensées et lui dit :

— Vous trouverez toutes les réponses à la bibliothèque du royaume de Mysriak, à la Bibliothèque des Écrits du Savoir. Votre cœur vous dictera où chercher. Je vous en donne la mission.

Il leva sa baguette et bredouilla quelques incantations.

O'Neil remercia Éxir de sa confiance et quitta les lieux. Enfin, il y avait une issue aux interrogations du roi et de la reine. Dès qu'il le pourrait, il irait à la Bibliothèque des Écrits du Savoir. Il imagina qu'elle devait se trouver au château.

CHAPITRE 12

LE DRAGON ROUGE

Fasciné par les déclarations d'Éxir, O'Neil arriva chez lui trois jours plus tard, exténué. Le mauvais temps n'avait pas facilité son retour. La vue de sa femme et de ses enfants le ravigota. Toutefois, son angoisse grandissait, tous ces déplacements faisaient en sorte qu'aucun plan n'était élaboré pour contrer le malheur qui planait. Tous réunis autour d'un bon repas, O'Neil raconta tout avec enthousiasme, allant de la pierre vibrante au télescope puissant, du Collège de la magie à la magnifique bibliothèque. Cependant, il ne mentionna rien concernant le dragon rouge devant ses enfants, un sujet trop délicat.

— C'est incroyable ! Une bibliothèque remplie de livres, des étagères en chêne qui montent dix mètres de haut, beaucoup de lumière. Il y a des livres et des livres, certains concernant la fabrication de potions, d'autres, la culture de plantes magiques, les incantations et j'en passe… Si ce n'avait été que de moi, j'y serais resté. Aux dires du maître Éxir, le dôme de protection aurait fait croire au roi Wibras I, l'arrière-arrière-grand-père de notre bon roi, que la magie était superflue. De même que l'armée. Il n'y avait plus de raisons pour donner des cours. Le collège a fermé ses portes ainsi que l'école de la chevalerie. Plus de magie, plus de chevaliers, plus de soldats. Maintenant, on sait que ce n'était pas un bon choix. C'est toujours comme ça ! Le roi Wilbras I avait sa vision. Une vision erronée.

Les enfants écoutaient cette conversation sans rien comprendre. Ils n'osèrent l'interrompre tant ils étaient subjugués par tout ce qu'ils apprenaient.

— Ce sont les hobereaux qui ont insisté pour que la vie soit sans magie. Heureusement, nous avons continué d'utiliser nos pouvoirs magiques… en toute discrétion, je dois le dire, mais nous sommes beaucoup moins puissants et habiles qu'avant, soupira Pacifida.

— Justement, Éxir propose de remettre sur pied le collège. Il proposera un cursus. Il te voit comme professeur de cultures de plantes magiques.

Pacifida s'illumina. Professeur de cultures de plantes magiques. Elle n'en croyait pas ses oreilles. Il lui remit la lettre scellée d'Éxir. Pacifida lut le texte. Elle fut immédiatement folle de joie. Elle n'en revenait tout simplement pas. Elle a toujours adoré explorer le domaine floral.

À l'insu d'O'Neil et des enfants, elle usait de la magie pour expérimenter différentes variétés. Cette année, elle avait créé de magnifiques roses et pétunias, allant du blanc immaculé au noir velouté en passant par des tons de rouge. Certes, elle était experte dans ce domaine, mais par rapport à d'autres domaines, comme les fongus et les plantes potagères, elle était beaucoup moins douée. Et que dire des plantes magiques, elle n'en connaissait aucune. Il faudrait qu'elle consulte les livres, étudie et travaille au Collège de la magie. C'était à cinq jours à cheval ou à deux jours en dragnard. Elle devrait s'y installer. Elle ne croyait pas que ce soit possible. Quitter le domaine? Impossible. Son mari, bien que compréhensif et généreux, ne lui permettrait pas de s'éloigner du manoir familial. Son visage s'assombrit.

– Qu'est-ce qu'il y a, ma douce? demanda O'Neil.

– J'en serais ravie, mais il faudrait y résider et alors, qui dirigerait notre domaine? demanda Pacifida en servant la soupe.

– Bah! Melvin et Éloïse pourraient s'en occuper.

Melvin et Éloïse se regardèrent ravis. Ils aimaient bien leur mère, cependant elle était bien accaparante. Quand O'Neil n'était pas là, elle les dirigeait à la minute près. Pas un instant de repos avec elle. L'élevage des dragnards et des chevaux de race exigeait une grande somme d'ouvrage, mais pas à ce point.

– Et vous, père, qu'est-ce que vous ferez? demanda Andrick en se taillant un gros morceau de la miche de pain.

— Hum! C'est un peu délicat. Il veut que je monte une armée, dit O'Neil en finissant sa soupe avec appétit.

— Une armée? demanda Éloïse.

— Qu'est-ce que c'est? reprit Melvin.

— Pour tout dire, je n'en sais trop rien. D'après Éxir, ce sont des hommes appelés soldats qui combattent sous l'autorité d'un supérieur imputable au roi, expliqua O'Neil. Pacifida, tu t'es surpassée. J'en prendrais bien un autre bol, dit-il en le tendant.

Pacifida resservit son mari et s'inquiéta de l'énervement du cadet. Il était tout ouïe et sa curiosité, à peine rassasiée.

— Donc, c'est le roi qui est responsable de l'armée, conclut Andrick.

— Oui et non. Il faut un homme sur le terrain, un chevalier. Le roi ne peut y être, il doit régner sur son territoire. Il ne peut à la fois diriger une armée et régner, c'est ce que j'ai compris, ajouta humblement O'Neil.

— L'armée se bat contre qui? s'impatienta Nina.

— Contre l'Envahisseur, répondit O'Neil.

— Mais l'Envahisseur, c'est qui? demanda Andrick.

— Je ne sais pas.

— Comment peut-on se battre contre un ennemi que nous ne connaissons pas ? ne put s'empêcher de s'exclamer Melvin.

— Allons, mes enfants, vous voyez bien que toutes ces questions donnent le tournis à votre père. Finissez votre soupe et laissez votre père tranquille, dit Pacifida.

Loin de se calmer, ils en redemandèrent. Tous ces concepts et ces mots paraissaient étranges pour la famille Dagibold. Ils n'avaient jamais vu d'armée et ne voyaient pas à quoi elle pouvait servir et, en plus, comment pouvait-on se défendre d'un ennemi qu'on ne connaissait pas ?

— Oui, Éxir a même trouvé un nom : les Chevaliers du Dragon rouge, ajouta O'Neil, sans grande conviction de pouvoir les contenter. Ça aurait été plus logique les Chevaliers du Dorado.

— En effet, père, puisque les dragons n'existent pas, s'écria Nina.

— C'est vrai, il n'y a aucun dragon vivant, renchérit Andrick. Père, vous m'aviez dit que les dragons étaient des inventions.

O'Neil avait bien voulu ne pas entamer une conversation sur le sujet, mais le mal était fait. Il était hors de question de mentir.

Il n'avait pas le choix. Il se devait de cracher le morceau.

— C'est ce que je croyais. Aux dires d'Éxir, il en reste un. Je veux dire une.

— Il existe un dragon, dit Andrick tout excité. Et comment s'appelle-t-elle ?

— Inféra, un dragon rouge.

— Inféra, répéta Pacifida. Par la baguette de ma mère, Inféra !

Jusqu'à ce temps, Pacifida était demeurée silencieuse. De toute évidence, elle connaissait ce dragon. Andrick se demandait bien ce que voulait dire ce débordement soudain de sa mère. De nature calme, elle ne prononçait jamais un mot plus haut que l'autre. À cet instant même, elle était renversée.

— Le problème, c'est que c'est un dragon très solitaire. Personne ne l'a vue depuis des années. Éxir pense que je devrais l'entraîner, expliqua O'Neil.

— Vous entraîneriez un dragon ? répéta Andrick de plus en plus excité. Pa ! C'est extraordinaire !

Cette fois-ci, Andrick était dans tous ses états. Son père serait dragonnier et chevalier, mais il aurait voulu que ce soit lui le dragonnier de cette bête, possédant un pelage d'un beau rouge comme le manteau vu de l'étal d'Arméranda. Il l'imagina comme le dessin de la coupe du Dragon d'or. Elle devait avoir des ailes immenses et des pattes bien bâties et fortes.

— Oui, mais c'est risqué, nota O'Neil, ému et dérangé par le débordement d'Andrick.

— Très risqué, renchérit son épouse qui comprenait maintenant le danger que courait O'Neil.

— Qu'est-ce qui est risqué ? demanda Melvin à sa mère. Notre père est le meilleur entraîneur de dragnards. Personne n'arrive à sa cheville. Un dragon, c'est comme un cheval ou un dragnard. Non ?!?

— Eh bien, un dragon, c'est plus grand qu'un dragnard et ce dragon est particulièrement très grand, dit précipitamment Pacifida pour éviter de discuter de l'envoûtement. Au moins trois fois plus grand que le plus grand des dragnards. Et les dragons ont un grand cou, des écailles et crachent du feu.

Melvin, Éloïse et Nina émirent un oh d'étonnement et parurent satisfaits de la réponse, tandis qu'Andrick était estomaqué et ébahi. Il se fit une image mentale de cette superbe bête, mais était-elle correcte ? Le feu et les écailles le prirent au dépourvu. Les dragons n'ont pas une fourrure douce, mais des écailles. Il en fut déçu.

— Cette Inféra est grande comment? demanda Andrick à sa mère. Et puis, à quelle vitesse vole-t-elle? Et le feu, il sort d'où? Par la bouche ou par les narines? Puis, ses écailles, elles sont comme celles d'un poisson ou comme celles d'une couleuvre?

Devant cette avalanche de questions, Pacifida demeura interdite. Ce n'est qu'après un certain laps de temps qu'elle admit :

— Mais je ne l'ai jamais vue. Elle est à l'autre bout du pays, au royaume de l'Occident où les terres sont rouges comme la faïence.

— Père, il vous faut un attelage d'Olibert. Il faut le commander tout de suite, dit Andrick à son père.

— Pas si vite. Je n'ai aucune idée de sa taille exacte, interrompit O'Neil. C'est pourquoi il faut que j'aille la visiter. Pacifida m'accompagnera.

— Et pourquoi pas moi? rétorqua Andrick. Je serais beaucoup plus utile que mère. Je suis un excellent cavalier. J'ai même gagné la…

— Parce que tu es trop petit, l'interrompit O'Neil.

— C'est ça, je suis trop petit et vous pensez que Melvin et Éloïse sont assez grands pour s'occuper seuls de la ferme.

Andrick croisa ses bras sur sa poitrine. Il se sentit contrarié et se renfrogna. À 11 ans, il mesurait déjà 1,50 mètre. Il était beaucoup plus grand que ses copains. Nina souriait. Son père avait réussi à lui fermer le clapet.

Pacifida remarqua que ses enfants avaient à peine entamé leur soupe. Toutes ces nouveautés leur avaient pratiquement coupé la faim.

— Allez, c'est fini, les enfants. Retirez-vous. Votre père est fatigué et nous devons planifier ce voyage, commanda Pacifida en frappant bruyamment les mains à plusieurs reprises, l'une contre l'autre.

Personne ne bougea. Elle tendit le bras au-dessus de la tête et l'abaissa à mi-parcours. Elle les menaça de recourir à la magie s'ils ne l'écoutaient pas. Andrick émit un non de protestation. Immédiatement, Pacifida fit claquer ses doigts de sa main levée et pointa Andrick. Ce dernier fut propulsé au bout de la salle à manger sans qu'il ait fait un geste. Il voulut revenir. Pacifida sortit sa baguette magique. Elle prononça quelques mots en langage inconnu d'Andrick. Un mur se dressa devant lui. O'Neil ne protesta pas, même s'il n'approuvait pas cette nouvelle méthode de discipliner Andrick.

En revanche, Pacifida fut heureuse d'avoir recours à nouveau à la magie, elle qui se croyait rouillée. Eh bien non, tout lui était naturel et très bientôt, elle enseignerait à une trentaine d'élèves. Et en plus, les jumeaux seraient de grands magiciens. Était-elle en train de rêver ? Elle se pinça le bras. Ouch ! Elle était bien réveillée. Elle ne dormait pas. Elle fit disparaître le mur et Andrick détala vers sa chambre. Melvin, Éloïse et Nina ne se firent pas prier.

O'Neil n'avait jamais vu sa femme avec des yeux si brillants. Cette perspective de l'emploi de la magie l'effrayait. Jusqu'à ce jour, la magie était presque inexistante et personne parmi les hobereaux ne connaissait son impact. Beaucoup trop de choses se bousculaient en lui : sa femme magicienne, un dragon femelle, chef d'une armée et quoi d'autre ?

Cette nuit-là, personne ne dormit vraiment. Melvin se voyait responsable de la ferme et élevait les plus jolis et affectueux dragnards, tous destinés à l'élue de son cœur, la belle Naura. Éloïse s'imaginait décorer le manoir à son goût. Elle ne raffolait pas des couleurs pêche dans la cuisine ni surtout de la couleur lilas de sa chambre. Elle aimait les murs blanc immaculé, la verrerie et le bois naturel.

De son côté, Nina craignait qu'Andrick soit toujours sur ses talons et lui suggère des projets périlleux et insensés. Depuis qu'il était petit, il n'arrêtait pas d'en proposer, histoire de se rendre intéressant. Quant à Andrick, il rêvait d'Inféra, ce dragon crachant du feu et tant pis si ces écailles étaient molles et puantes comme du poisson. Peut-être avait-elle des écailles douces comme des pétales de rose! « C'est ça. Ce dragon ne peut pas être laid et sentir le poisson pourri. Elle doit être belle et sentir une odeur agréable. »

À quelques pas de là, Pacifida se voyait déjà enseigner devant une ribambelle de jeunes apprentis. Elle aurait les plus beaux atours et tous l'admireraient pour son savoir et sa beauté. Elle l'avouait. Elle était fière, pour ne pas dire un brin vaniteuse. C'était là son péché mignon. « Enfin, se dit-elle, finies les années enfermées au manoir. » Bien sûr, O'Neil était l'homme qu'elle aimait le plus, mais secrètement elle désirait ardemment avoir une vie plus mondaine au lieu de cette vie campagnarde.

De l'autre côté du lit, O'Neil n'arrêtait pas de se retourner sur lui-même. Il avait l'impression de vivre la nuit la plus longue de sa vie à analyser ses valeurs. Il n'était pas sûr de pouvoir remplir toutes ses nouvelles responsabilités. Lorsque les premiers rayons éclaircirent le ciel, O'Neil était dans une forme physique exécrable.

CHAPITRE 13

LE DÉPART

Le soleil était déjà à mi-course. Les rayons tapaient de plus en plus fort pour une journée de septembre. O'Neil et Pacifida sellaient les chevaux. De lourdes valises étaient entassées au sol. Les enfants les regardaient les prendre une à une et les fixer au dos des chevaux. Ils étaient étonnés de constater que leurs parents ne prenaient pas de dragnards.

— Père, les dragnards vont plus vite que les chevaux, dit Melvin.

— Je sais, mais le voyage sera long, dit-il d'une voix fatiguée. Nous avons besoin de nourriture, d'eau et de vêtements. Nous avons beaucoup trop de bagages, dit O'Neil en posant un regard dur envers Pacifida. Le transport sera plus aisé avec des chevaux. Ce chargement risque d'entraver le vol des dragnards.

Andrick réfléchit. À sa connaissance, il n'existait pas d'attelage de dragnards assez solide pour permettre un vol sécuritaire avec autant de valises et de plus, ces chargements diminueraient leur vitesse. Son père avait raison. Les chevaux étaient plus appropriés pour ce voyage.

— Ce sera long ? sanglota Éloïse en déposant une valise aux pieds de sa mère.

Pacifida enlaça Éloïse. Leur intuition leur permettait de douter d'un retour rapproché. D'un doigt, Pacifida essuya les larmes de sa fille et ensuite, elle souleva la valise. Elle l'attacha fermement à la selle du cheval.

— En effet, plusieurs jours, voire une semaine. Ta mère doit arrêter chez sa tante Zéphire en chemin. Il faut préparer des douceurs chez sa tante, soupira O'Neil, c'est la tradition.

— Oui, des douceurs faites de nos propres mains, sans magie et avec les meilleurs fruits. Vous savez que tante Zéphire a les meilleurs fruits de Dorado, dit Pacifida en se surprenant de mentir, surtout après un si bel été.

Décidément, elle comprenait mal son comportement. Elle, si vertueuse, dupait son mari et ses propres enfants. Elle ressentit un fort malaise qu'elle cacha du mieux qu'elle put. Bien que la joie de quitter cette maison et de retrouver sa tante et ses cousines dissipait fort bien son malaise.

— Père, vous comptez rester plusieurs jours chez tante Zéphire ? demanda Andrick.

Andrick savait qu'il détestait Zéphire. Âgée de 208 ans, elle avait une voix suraiguë et ne parlait que d'elle. Elle vivait avec deux de ses nièces, des cousines de Pacifida, aussi jacasseuses qu'elle. Dans cette fieféerie, on ne cultivait que des fruits. Bien que sa tante soit généreuse et affable, elle ne s'était jamais mariée. Aux dires de son père, c'était une mission impossible. Elle caquetait trop. Une vraie pie.

— Non, je vais me rendre à la bibliothèque du château Mysriak y faire des recherches concernant la chevalerie et l'armée. Comme ça, Pacifida pourra parler à son aise avec sa tante et ses cousines.

– Père, j'aimerais vous accompagner, quémanda Andrick. S'il vous plaît, père.

Andrick soupçonnait que la bibliothèque renfermait d'autres sujets. Il devait bien y avoir des livres sur Inféra et l'art d'être dragonnier. Comme il ignorait l'endroit, jamais il ne pourrait consulter cette bibliothèque par lui-même.

– Il n'en est pas question, répondit-il avec force.

Andrick grimaça. Pacifida jeta un regard suppliant à O'Neil. Il n'en démordit pas. Déjà que le voyage était ralenti en raison d'une supposée confection de petites bouchées aux fruits chez la tante Zéphire, dont il doutait de la véracité de cette exigence, il n'allait sûrement pas se faire accaparer par un enfant gâté qui s'enthousiasmait pour un dragon. L'arrêt au verger de Zéphire avait quand même un bon côté, il était situé à côté du royaume Mysriak.

De son côté, Pacifida craignait la rencontre avec Inféra. N'était-elle pas la fée la plus puissante ? N'était-elle pas la fée qui se cachait dans les lieux les plus éloignés du pays ? Elle était heureuse que son mari n'ait pas répliqué à cette demande saugrenue de petites bouchées. Par contre, cette histoire de bibliothèque la surprit. Elle sonda l'esprit de son mari. Elle comprit que sa principale préoccupation était d'en connaître plus sur le pouvoir ensorcelant d'Inféra et sur l'existence d'autres dragons.

Pacifida se rappela qu'il y avait une bibliothèque de documents anciens à Mysriak. Elle avait déjà visité cette bibliothèque sombre et peu attirante, il y a de nombreuses années. Elle n'aimait pas cet endroit. Elle était située non pas au château, mais ailleurs. L'endroit s'appelait Wadyslaw. Les archives du royaume se retrouvaient à cet endroit et non au château.

— N'oubliez pas de bien protéger l'enclos des dragnards avec des fils de fer barbelé.

— Oui, père, répondirent en chœur les enfants.

— Je vous embrasse, ajouta-t-il.

Les enfants enlacèrent leurs parents et les embrassèrent. Pacifida quittait pour la première fois le manoir depuis son mariage. Elle sentait en elle une fébrilité incontrôlée.

CHAPITRE 14

LE PLAN D'ANDRICK

C'était le départ. Pacifida se dressa droite sur sa selle, élégante et digne. O'Neil enfourcha Pegasus, un cheval blanc, et salua les enfants. Melvin, qui n'avait jusqu'à maintenant émis aucun commentaire, se retenait pour ne pas verser de larmes. Nina et Éloïse se serraient et pleuraient. Andrick, lui, était choqué. Il aurait tellement aimé les accompagner. Il ne voyait pas ce qu'il avait à faire ici sur la ferme alors qu'il y avait tellement d'effervescence ailleurs. Il avait le goût de l'aventure et de bouger. Il savait que ce voyage les transformerait à tout jamais. Il ne pouvait rester là à les regarder quitter la maison. L'inactivité lui brûlait les pieds et les mains. Pourquoi son père ne lui a-t-il pas donné une mission comme celle d'agir en éclaireur ? Avec Frivole, il aurait survolé les lieux et indiqué les meilleurs endroits où passer et où s'arrêter. Au lieu de cela, il était ici impuissant à attendre leur retour.

Le convoi était composé de cinq chevaux. Un des chevaux portait les victuailles et les deux autres, des vêtements, surtout ceux de Pacifida. Andrick connaissait la fierté de sa mère, mais pas à ce point-là. Quelques heures plus tôt, il avait entendu les propos de son père essayant de la dissuader d'apporter tant de bagages. Du haut de l'escalier menant aux chambres, Andrick s'était fait tout discret et avait assisté à toute la scène.

Pacifida insistait. Elle avait prévu cinq robes d'apparat. Chaque robe prenait une valise, au grand dam de son père. O'Neil l'avait grondée. Elle l'avait regardé d'un ton hautain. Depuis qu'elle avait lu la fameuse lettre d'Éxir, elle avait le sentiment d'être indispensable et, enfin, on lui reconnaissait son niveau supérieur aux hobereaux. Elle n'était plus la femme d'un grand éleveur, mais une fée. Elle ne voulait pas apparaître devant sa tante et ses cousines, « habillée simplement comme une paysanne », avait-elle dit à son mari. Elle avait choisi méticuleusement ses cinq plus belles robes. Elle fut intraitable sur ce point et elle pointa sa baguette plusieurs fois dans sa direction. Il se plia à ses exigences avec regret. Pour la première fois, Andrick sentit que son père était désemparé et ne voulait pas provoquer sa lady. Elle possédait une arme puissante. La magie.

Maintenant, le convoi ressemblait à de minuscules points se déplaçant. Andrick entra chez lui. Melvin et Éloïse étaient déjà partis nettoyer l'écurie. Sa sœur jumelle, Nina, s'apprêtait à ranger la vaisselle du petit déjeuner. Andrick l'agrippa par le bras.

— Et si on y allait ? demanda Andrick.

— Aller où ?

— À la bibliothèque du château, pardi ! répondit Andrick.

— Pour faire quoi ?

Nina éleva son bras et se libéra de l'emprise de son frère. Sans se préoccuper de lui, elle nettoya la table encore pleine de vaisselle sale. Andrick la suivit. Il fut étonné de son comportement désintéressé. N'y avait-il pas au moins une chose plus intéressante à faire que d'attendre passivement le retour des parents ?

– En savoir plus sur les dragons, tu comprends ? Forcément, il y en a eu des dizaines d'espèces.

Mais Nina l'écoutait d'une oreille distraite. Elle empilait les assiettes et les tasses dans la bassine.

– … à la bibliothèque…, il y a des livres sur les dragons, dit-il en l'interrompant dans sa corvée.

– Comment peux-tu en être sûr ? demanda Nina.

Andrick plia les deux bras contre son abdomen et prit un air arrogant. Nina n'avait aucune imagination. Ce qu'elle voyait ou entendait lui suffisait, tandis qu'Andrick en avait compris davantage. Certes, son père avait révélé le but de ses recherches sur la chevalerie et l'armée, mais avait omis de parler des dragons.

– Père a mis l'accent sur un problème, la constitution d'une armée, et il n'a rien dit concernant l'entraînement de dragons. Les dragons ont donc existé… il doit y avoir des livres qui en parlent. Et je ne m'appelle pas Andrick pour rien.

— C'est-à-dire? dit Nina d'un ton condescendant tout en continuant de placer bruyamment la vaisselle dans la bassine.

— Je n'ai pas l'intention de flâner ici quand il y a d'autres choses plus importantes à faire.

L'eau sur le poêle bouillait à gros bouillons. Nina souleva le lourd chaudron et remplit la bassine d'eau chaude. Elle saupoudra de copeaux de savon et entreprit le lavage de la vaisselle. Elle bossait pendant que son frère ne faisait rien de ses dix doigts. Elle saisit la lavette et le frappa durement à l'avant-bras. Andrick sursauta et la lavette tomba par terre.

— En effet, gueula Nina. Tu es là à ne rien faire. Moi, je dois préparer le repas. Rends-toi utile pour une fois, dit-elle en pointant son menton vers la bassine et vers la lavette. Je vais chercher au jardin des légumes. Quand tu auras fini la vaisselle, range-la. C'est bien plus important que tes rêvasseries.

Andrick était choqué. Grinçant des dents, il fit tout de même son travail. Nina revint une heure plus tard avec un panier rempli de légumes. Andrick revint à la charge.

— Pourquoi ne pas partir maintenant et revenir avant le souper? Père et mère n'en sauront rien. Nos dragnards sont bien plus rapides que les chevaux.

— Je ne suis pas d'accord, un point c'est tout. Nous devons obéissance et respect à nos parents.

— Dans ce cas, j'irai seul. Personne ne le saura. Vite parti, vite revenu.

— Ne t'attends pas à ce que je te protège, dit Nina. Notre père t'a ordonné de rester ici. Surtout, compte sur moi pour que je lui dise que tu t'es rendu à la bibliothèque dès son retour.

— Poils de narine, si tu fais ça, je vais te détester à jamais.

Elle prit un visage déterminé et s'assit pour peler les légumes. Voyant son intransigeance, Andrick lui mentit. Il jura qu'il ne s'y rendrait pas et qu'il irait cueillir des fraises pour le dessert à l'arrière du manoir. Affairée à préparer seule le repas, Nina ne remarqua pas qu'Andrick se dirigeait non pas vers la fraisière, mais vers l'écurie.

Au-dehors, il rencontra Melvin et Éloïse qui rentraient à l'intérieur. Andrick les salua joyeusement. Il savait maintenant qu'il pouvait sortir Frivole sans le moindre problème. Le seul hic, le ciel se couvrait. Une pluie automnale était au rendez-vous et le vol s'annonçait difficile.

Pour éviter de rencontrer ses parents, Andrick ne prit pas le chemin usuel. Il survola en parallèle la route au-dessus des forêts et des lacs. Il avait calculé qu'en trois heures, il atteindrait son but. Depuis plusieurs heures, il planait au-dessus des forêts et ne voyait toujours pas le château de Mysriak, qui était pourtant un bon repère. Le château était situé dans une grande clairière et sur un mont entouré d'eau. La pluie fine empêchait de voir très loin, une visibilité d'à peine 100 mètres. Frivole commençait sérieusement à être fatigué de voler dans cet air humide et lourd. Au cœur d'une forêt dense, Andrick vit un ruisseau. Il décida d'y atterrir. Il n'avait aucune idée où il était. De mémoire, il n'avait jamais arpenté une forêt si compacte. Il dut admettre qu'il s'était égaré. Le voyage commençait mal. Heureusement que la pluie avait cessé.

Il sentit une douleur à l'estomac. Il avait faim. Depuis hier soir, il n'avait avalé qu'une moitié d'un bol de soupe. Durant de nombreuses minutes, il claqua le sol avec son pied à plusieurs reprises en se traitant d'imbécile. Il était parti sans nourriture et sans allumette. Non loin de là, il y avait des pommiers. Il prit quelques pommes. Il les goûta. Elles avaient toutes un goût très amer et une texture râpeuse. Enfin, il trouva un pommier aux fruits sucrés et croquants. Il en prit deux et les mangea. Frivole réussit à attraper un lièvre qu'il mit au pied de son maître. Andrick le contempla. Il avait faim. Il regrettait de ne pas avoir emporté du fromage et des noix. « Hum ! Peut-être bien grillé, ce serait savoureux », se dit-il. Il n'avait jamais mangé de viande grillée et encore moins de viande crue. Les Doradois ne tuent pas d'animaux pour se nourrir. Parfois, ils en tuent pour nourrir de jeunes dragnards qui ne sont pas encore habitués à chasser d'eux-mêmes et utilisent la peau de ces animaux pour en faire des bottes et des ceintures, rarement des vêtements. Seule la royauté peut s'ennoblir de tenues de fourrures au col et aux manches, et encore.

Le sol était jonché de vieilles branches mouillées. Il en ramassa et fit un tas qu'il entoura de pierres pour contenir le feu. Il cueillit des aiguilles de pin, habituellement un bon combustible, lorsque sec. Il les disposa sur une planche de bois. Se servant d'un autre morceau en forme de bâton, il l'appuya sur le premier et le roula longtemps entre ses mains en soufflant avec force. Il y eut bien de la fumée, mais pas d'étincelles. Le bois était trop humide. Après plusieurs essais infructueux, Andrick s'avoua vaincu. Pour comble de malheur, la pluie reprit de plus belle. Frivole regarda son maître se démener pour se construire une tente avec des branches de sapin dégoutantes d'eau. Frivole gémit longuement. Il n'avait toujours pas touché à son lièvre. Il attendait patiemment sous cette pluie l'ordre de son maître de manger.

— Bon ! Je crois bien que tu peux dévorer ton lièvre tout seul, dit Andrick à Frivole.

Frivole le dévora sans se faire prier. De son côté, Andrick découvrit des canneberges en faible quantité et de la gomme d'épinette à quelques pas de son abri improvisé. Il fit une boule et la mastiqua. Elle eut pour effet de calmer son appétit. Fatigué, il décida de se reposer. La noirceur se pointait. Un vent frais du nord se leva. La nuit s'annonçait sombre et froide. Frivole se blottit à l'entrée de son abri, ce qui lui apporta chaleur et réconfort à l'intérieur.

Au loin, Andrick entendit un loup hurler frénétiquement. D'autres se mirent à aboyer. Andrick frémit. Il avait oublié que la nuit peut nous réserver des surprises et des rencontres inattendues. Une meute de loups probablement affamés était non loin de lui. Frivole releva la tête et hennit férocement. Peu importe la dimension et le nombre de cette meute, Frivole n'en ferait qu'une bouchée. Déjà, il salivait, juste à y penser. Il n'avait mangé qu'un lièvre de toute la journée. Il tendit l'oreille, mais les loups se firent discrets. Andrick soupira de bonheur et s'endormit avec confiance.

CHAPITRE 15

LA FIEFÉERIE DE ZÉPHIRE

À peine une heure après le départ, une petite pluie fine débuta, ralentissant la vitesse des chevaux. O'Neil et Pacifida scrutaient la route. Le chemin était devenu glissant et dangereux. À certains endroits, les chevaux calaient jusqu'aux jarrets dans cette boue. Pacifida prenait soin de ses atours. Elle dirigeait son cheval vers les lieux les moins vaseux. Puis, la route remontait abruptement. Il fallait gravir un mont rocailleux, élevé, escarpé et glissant. L'escalade prit une bonne heure. Arrivés au haut du mont, le crachin était si épais qu'on n'y voyait rien, pourtant la vallée était là, à quelques kilomètres. Le convoi continua sa route. O'Neil regrettait d'avoir autant de bagages et de ne pas avoir pris des dragnards au lieu des chevaux. Pacifida, de son côté, ne semblait pas souffrir de la pluie, ni des inconvénients de la chevauchée. De temps à autre, elle admirait les arbres, la plaine, les vallons et même les roches. Depuis des années, elle s'était contentée d'être la loyale épouse d'O'Neil Dagibold, l'homme le plus honoré de tout le Dorado.

Durant le trajet, Pacifida expliqua qu'il était inutile de se rendre au château. Ce n'était pas là qu'il trouverait la documentation recherchée.

— Ah ! Pourtant, je croyais avoir compris que c'était au château.

— Non, mon chéri, la bibliothèque royale ne contient que les archives royales. Ce que tu veux ne fait pas partie de ces archives. Il s'agit des archives enchantées. Elles sont conservées dans un lieu tout à fait particulier. Elles sont conservées au Cœur de l'Écrit.

— Ma douce, tu me perds ! Le Cœur de l'Écrit, qu'est-ce que c'est ?

— La bibliothèque Wadyslaw ou la Bibliothèque des Écrits du Savoir.

Wadyslaw ne lui disait rien. Est-ce un magicien du nom de Wadyslaw ? À sa connaissance, il avait rencontré tous les magiciens du pays. Le seul royaume où la population d'enchanteurs était la plus concentrée était à Mysriak.

— Ce magicien Wadyslaw, il vit au royaume de Mysriak ?

— J'ai dit un lieu, pas un magicien. Il s'agit d'un arbre enchanté qui conserve les plus grands écrits féériques du continent. Tout le savoir magique du pays et d'autres fédérations est contenu au cœur même de cet arbre. C'est pourquoi on le surnomme le Cœur de l'Écrit.

— Fédérations ?

La pluie reprit de plus belle. O'Neil était trempé jusqu'aux os. Il s'étonna que Pacifida ne se plaigne pas. Au contraire, elle ne s'arrêtait pas de sourire. À l'intérieur d'elle, Pacifida sentait son cœur battre à tout rompre. Enfin, elle se sentait libre, libre d'exprimer sa magie sans restrictions. Si elle avait pu, elle aurait fait voler les chevaux et ils seraient déjà arrivés. Elle se doutait bien qu'O'Neil n'aurait pas apprécié son geste.

— Les fédérations ? répéta O'Neil.

Pacifida cessa ses rêveries et remarqua le visage tourmenté de son mari.

— Je ne sais quoi répondre, mon amour. Jeune, j'ai souvent entendu ce mot, mais j'ignore ce que c'est, fit-elle d'une voix douce et rassurante. Ma tante Zéphire pourra peut-être nous éclairer à ce sujet.

— J'espère. Et où se trouve cet arbre du savoir ?

— Non loin du château. C'est l'arbre le plus vieux du coin et le plus massif. Il est impénétrable. À moins d'avoir reçu une mission et le pouvoir magique de pénétrer à l'intérieur de la Bibliothèque des Écrits du Savoir.

Soudain, O'Neil se remémora le mot MISSION et les incantations faites par Éxir.

— Oui, j'ai reçu cette mission, ma douce.

Pacifida fut heureuse de l'entendre, redressa le dos et raccourcit les étrennes de Phinedra, qui accéléra le pas. Toute sa famille était subitement passée de très importante à extraordinairement importante.

Au bout de quelques heures, O'Neil et Pacifida avaient leurs vêtements trempés et boueux. Le ciel s'assombrissait de plus en plus et la route était devenue dangereuse.

Malgré que cette nouvelle avait mis un baume sur leur situation crasseuse, ce mauvais temps commençait à miner la joie et la confiance de Pacifida de revoir sa parenté. Le capuchon de sa cape alourdi par l'eau lui barrait la vue. Elle releva la tête. Malgré la pénombre et ses cheveux mouillés qui lui collaient au visage, elle reconnut la demeure de Zéphire, une demeure simple, ornée d'une solide cheminée en pierres à chaque extrémité.

Elle pressa le pas, laissant derrière elle son mari se débrouiller avec le reste du convoi. Zéphire se berçait à l'abri de la pluie sur sa véranda. Elle chantait et brodait des mouchoirs de soie à la lumière de plusieurs torches extérieures. En entendant les hennissements des chevaux et le bruit des sabots, elle délaissa son ouvrage. Elle émit un son rauque et courut à la rencontre de sa nièce en marchant dans la boue et en criant. La rareté de cette visite si imprévue fit en sorte qu'elle oublia la pluie, la vase et toute convenance pour une fée de son âge, quoiqu'elle ne paraisse à peine plus vieille que sa nièce.

— Comment vas-tu, ma belle Pacifida ? Que je suis heureuse de te voir ! s'exclama Zéphire toute rouge et essoufflée.

Puis, sa gaieté se dissipa. Pacifida avait un air sévère. Zéphire retint son souffle et elle se renfrogna. Elle soupçonnait un malheur. Pourquoi n'avait-elle pas envoyé un pigeon annonciateur? «Puisqu'elle ne l'avait pas fait, c'est qu'il n'y avait rien de grave», se dit-elle. À demi rassurée, elle tendit la main pour l'aider à descendre de son cheval. Pacifida atterrit les deux pieds dans la boue en éclaboussant sa robe et celle de sa tante, ce qui la fit se dérider.

Puis, elles furent secouées d'un fou rire général. Elles s'examinèrent. Leurs robes étaient souillées et ruisselantes. Elles s'embrassèrent. Elles étaient comme deux jeunes gamines à leurs retrouvailles après de longues vacances. Pacifida n'avait pas mis les pieds à cette fieféerie depuis des années. Son cœur battait la chamade. Elle respira cet air humide aux senteurs de pommes et de prunes. Sa joie était à son comble. Elle se retourna et prit une enveloppe de la sacoche attachée à la selle de Phinedra.

Entretemps, les deux cousines, Liana et Rutha, étaient sorties de la maison et attendaient sagement sur le perron. O'Neil venait à peine d'atteindre les lieux que la pluie redoubla. Des rafales fouettaient les chevaux hennissant de froid. Dame nuit étendit ses ailes de corbeaux et la vallée fut soudainement plongée dans le noir. Zéphire voyait à peine ce que tenait Pacifida. Elle la tira par le bras et toutes les deux allèrent d'un pas rapide se protéger sous la véranda.

CHAPITRE 16

LA MAGIE À L'HONNEUR

– Qu'est-ce que c'est ? demanda Zéphire en voyant l'enveloppe.

– Il y a quelque chose d'écrit qui va changer le cours de notre histoire, clama Pacifida avec force.

– Vite, entrons, s'écria Zéphire impatiente d'en savoir plus, il pleut des hallebardes et le vent est froid.

O'Neil dut se rendre à l'évidence qu'il aura la tâche de s'occuper des chevaux, de ses bagages et de ceux de sa lady.

Ce n'est qu'une fois toutes à l'intérieur que Pacifida expliqua le but de sa visite. En entendant les mots : « la magie est maintenant possible », elles éclatèrent de rire. Elles se mirent à sauter de joie et à danser. Pacifida ouvrit l'enveloppe partiellement détrempée et leur tendit le document signé de la main d'Éxir. Ce fut l'instant le plus intense. Elles le lurent en silence. Puis, elles se mirent à papoter.

— Nous pouvons maintenant faire de la magie à notre guise. Plus d'interdictions. Je vais pouvoir enseigner les incantations et les envoûtements, dit Pacifida tout excitée. Il est écrit que je dispenserai les cours de culture de plantes magiques.

— Des plantes magiques ? À ce que je sache, tu n'y connais pas grand-chose, s'exclama Liana rougissante de jalousie. Rutha sait où trouver les fongus magiques.

— Il ne s'agit pas de trouver de vulgaires champignons, chère cousine, mais de cultiver des plantes et de connaître leurs utilités, corrigea Pacifida avec condescendance. Je sais faire de nombreux philtres, hum !

— Comme quoi ? reprit Liana d'un ton pincé.

— Rien ne me vient à l'esprit, fit-elle en se grattant le cou. Et puis, je ne suis pas obligée de vous répondre, ajouta-t-elle en fixant rageusement tour à tour sa tante et ses cousines.

Pacifida se détourna d'elles. La conversation avait tourné au vinaigre. Toutes se turent, déçues que leur joie fût de courte durée. Liana s'excusa timidement. Pacifida lui pardonna sèchement en croisant ses bras au-dessus de son abdomen. Dehors, elles entendaient le vent siffler et la pluie claquer brutalement les vitres. Elles se regardèrent et se trouvèrent ridicules. Elles partirent à rire. Elles s'entrelacèrent et s'embrassèrent. Elles reprirent de plus belle leur conversation animée.

O'Neil, en entrant dans la maison, ne fut pas surpris de les voir piailler ainsi. À la vue de sa femme et de Zéphire, il comprit qu'il serait totalement ignoré durant son séjour.

— Bonjour, mes ladys, dit O'Neil.

C'est à peine si elles le virent et le saluèrent. O'Neil comprit la gravité de la situation. Elles étaient dans leur monde. À son grand désespoir, elles ne parleraient que d'enchantements. À tour de rôle, chacune déballait son savoir et ses compétences. Rutha sortit sa baguette et transforma la table en une splendide robe en or suspendue dans les airs, Pacifida changea les six chaises en six lapins blancs, courant partout dans la pièce, et Zéphire les métamorphosa en un ravissant manteau d'hermine qui alla choir sur ses épaules. Elles se boyautaient. Finalement, Pacifia fit réapparaître la table et les six chaises. De son côté, Rutha fit surgir de nulle part une carafe de vin et Liana, quatre coupes d'argent. Elles s'assirent et se versèrent du vin. À ce spectacle désolant, O'Neil se retira et s'endormit tout habillé dans une des chambres inoccupées.

Aux petites heures, O'Neil se leva. Il descendit au rez-de-chaussée et en resta estomaqué. Il y avait un tel désordre. Des vêtements, des bijoux et de la nourriture étaient pêle-mêle sur le plancher et les meubles. Entre les piles, il vit sa femme et les autres endormies, affalées sur les chaises. Il laissa une note à sa femme indiquant qu'il se rendait à la bibliothèque. Il regrettait de ne pas avoir son dragnard Princesse. En moins d'une heure, il y serait. Il prit Pegasus, son cheval préféré, tout blanc et très rapide.

Au bout de deux heures de chevauchée, il arriva devant un arbre immense aux larges rameaux, tout près du château. De toute évidence, il s'agissait de la Bibliothèque des

Écrits du Savoir. Au pied de l'arbre, le nom Wadyslaw était gravé sur une pierre en marbre noir. Il ne s'était pas trompé. Il contourna le colosse. Aucune porte. Intrigué, il cherchait un moyen d'y pénétrer. Aucun accès visible. Il se grattait la tête. Il ne savait pas quoi faire. Il était là devant ce chêne immense, les bras pendants. Il articula son nom.

— Wadyslaw !

Il sentit une chaleur parcourir son corps et s'arrêter au niveau de la tête. L'arbre sondait son esprit et n'y vit aucune malveillance. Des craquements secs se firent entendre et l'écorce se métamorphosa peu à peu. À la toute fin du processus, deux portes se révélèrent. L'arbre s'ouvrit à lui. Avec émotion, il pénétra au Cœur de l'Écrit.

Peu après son départ, les fées se réveillèrent. Pacifida lut la note de son mari. Elle regrettait son manque de maturité. Elle s'était soûlée, geste impardonnable pour une fée et encore plus pour une mère de quatre enfants. Elle se reprochait surtout de ne pas l'avoir embrassé ni de lui avoir souhaité bonne chance.

— Mon charmant mari est parti, déclara Pacifida en riant avec nervosité.

— À nous la magie, s'écria Zéphire avec un enthousiasme débordant ralenti par une douleur à la tête.

— Aïe, j'ai vraiment abusé de la bouteille, hier, ajouta-t-elle en se relevant.

Hier au soir, elles s'étaient toutes retenues pour ne pas agacer O'Neil qui s'était montré plutôt désagréable. Sur la pointe des pieds et d'un geste dramatique, Zéphire prononça d'une voix savoureuse une incantation et dessina une arabesque au-dessus de la table avec sa baguette. Une belle nappe blanche y apparut. Rutha éleva ses bras et prit un ton inspirant. Elle agita la sienne et lança une courte incantation. Un petit déjeuner tout chaud et tout fumant émergea. Il y avait de la compote de pommes chaudes, des croissants et du thé bouillant. Liana ajouta une touche personnelle : elle fit jaillir des bouquets de muguets à chaque coin de la maison et sur la table, des fleurs inhabituelles en cette période de l'année. Pacifida se contenta de faire tournoyer au-dessus des têtes sa baguette et de splendides robes en soie blanche, brodées de fils argentés, les habillèrent.

Elles se marraient. Elles étaient beaucoup trop agitées pour se restaurer. Dehors, il faisait beau. La pluie avait fait place au soleil. Les oiseaux chantaient. En un éclair, elles sortirent admirer le paysage. Zéphire trouvait qu'il n'y avait pas assez d'oiseaux chanteurs. Elle donna quelques coups de baguette. Des milliers de canaris émergèrent et se mirent à chanter agréablement.

Rutha voulut démontrer son talent et fit surgir des milliers de roses rouges. Il y en avait tellement que le parfum en était étourdissant. Pacifida voulut divertir sa tante et ses cousines, elle s'amusa à changer la couleur des feuillages des arbres, tantôt mauve, tantôt bleu. Toute la panoplie de couleurs y passa. Liana, qui avait toujours eu un penchant pour les joyaux, se couvrit de bijoux les plus fous, les faisant grossir, rapetisser, prendre la forme d'une poire, d'une larme, d'une étoile… rien ne l'arrêtait. Obnubilées par leur talent, elles ne virent pas les heures passer.

CHAPITRE 17

LE LAC CRISTAL

À de nombreuses lieues plus loin, Andrick se réveilla. Quelques fins faisceaux lumineux traversaient son mince toit fait de branches de sapin. La pluie avait trempé le sol. Complètement mouillé, il grelottait de froid. Frivole ne bloquait plus l'entrée de son abri temporaire. Andrick se releva et s'étira au-dehors.

Un peu plus loin, son dragnard se toilettait. En moins de deux minutes, son pelage était à nouveau soyeux et sec. Il se laissait rôtir sous des rayons de plus en plus chauds et puissants. Andrick se frotta vigoureusement les bras et se réfugia sous les pattes avant de son dragnard. Frivole ne se fit pas prier et l'entoura de ses grosses pattes. La chaleur de son corps lui fit du bien.

Une fois réchauffé, il partit à la recherche d'un quelconque déjeuner. Il ne trouva que quelques mûres. Il but de l'eau et remplit sa gourde d'eau fraîche du ruisseau.

Puis, ce fut le départ. Ne sachant pas son emplacement, il laissa Frivole le soin de décider du parcours. Du haut des airs, Andrick vit un magnifique lac bleu turquoise au pied d'une chaîne de montagnes dont un des sommets s'élevait au-delà des nuages. Les rayons du soleil faisaient briller une chute d'eau comme des milliers de diamants. Juste au-dessus de cette chute, un arc multicolore naissait à cet endroit et se perdait au loin. Les lieux étaient paradisiaques et une dame s'y trouvait. Sans hésiter, Andrick tapota le cou de Frivole et lui fit signe d'atterrir. Frivole s'orienta vers cet endroit. Il se posa en bordure. La dame vêtue d'une longue toge blanche filait du lin d'une finesse incroyable. Il la salua. Elle interrompit son travail et le dévisagea froidement.

— Bonjour, lady, je m'appelle Andrick, fit-il en mettant pied à terre.

— Bonjour jeune homme, je suis la fée et la reine Sophia. Ce lac est mon domaine, dit-elle d'un ton tranchant et en pointant le site.

Frivole fit quelques hennissements rauques consécutifs pour avertir son cavalier d'être prudent. Au lieu de cela, Andrick le caressa pour qu'il se calme.

— Le lac Cristal, je crois, hésita Andrick.

— C'est bien cela.

— J'ai tellement entendu parler de votre lac, je veux dire des propriétés du lac, de l'eau guérisseuse, affirma Andrick.

Andrick se doutait qu'il était beaucoup trop à l'ouest par rapport à sa destination. En évitant de suivre la route de ses parents, il s'était trompé. Il regarda les nombreux cygnes nager dans ce merveilleux lac. Ils étaient splendides. La fée Sophia délaissa son rouet et s'approcha de lui. Frivole prit une pose de garde-à-vous en râlant. Cette Sophia et ses oiseaux blancs aux allures paisibles ne l'inspiraient pas.

— Il est rare que je reçoive de jeunes gens. Ce sont plutôt des adultes qui viennent me visiter et ils ont de gros contenants. Toi, tu n'as aucun récipient excepté cette gourde que je vois suspendue à ta ceinture. Je m'interroge sur ce qui me vaut ta visite, jeune sire Andrick?

Sophia soupçonna qu'Andrick avait une question qui lui brûlait les lèvres et qu'il n'osait le demander.

— As-tu une question? ajouta-t-elle calmement.

— Oui, je voulais aller à la bibliothèque du château Mysriak.

— Oh! tu es trop à l'ouest. N'es-tu pas le fils d'O'Neil Dagibold?

Maintenant, ses craintes étaient confirmées, il était trop à l'ouest. En voulant ne pas survoler la route, il s'était égaré.

— Oui, lady Sophia, se désola Andrick.

— Je vois. Tu t'intéresses à un sujet précis?

— Oui. Malheureusement, les réponses se trouvent dans une bibliothèque, fit Andrick en regardant le sol.

Voyant son désarroi, la reine Sophia s'adoucit. Elle marcha vers lui et s'arrêta à un mètre de lui. Comprenant son intention pacifique, Frivole quitta son garde-à-vous et s'accroupit dans l'herbe.

— Ah! je peux t'aider. Une fée connaît pas mal de choses.

Cette dame si belle et vivant en parfaite harmonie avec la nature le convainquit. Il se dit : « Cette lady Sophia qui est une reine et une fée doit sûrement connaître le sujet. »

— Je me demandais si vous aviez entendu parler de dragons ? barguigna-t-il.

— Bien sûr, il y avait une quantité incroyable de dragons. C'était... avant... l'Événement, hésita-t-elle à dire.

— L'Événement, vous voulez dire la guerre ?

— C'est ça ! Tu sais qu'il y a eu une guerre ?!

— Oui, heu... et depuis cette invasion guerrière, il n'y a plus eu de dragons... n'est-ce pas ? se risqua Andrick.

— Si, j'en connais une, un dragon-fée du nom d'Inféra.

Elle l'avait dit si doucement, presque comme un murmure. Elle retourna vivement sa tête vers l'ouest comme si elle redoutait une venue soudaine d'Inféra. Pour Andrick, ce simple petit geste lui mit la puce à l'oreille. Inféra existait et devait être établie plus à l'ouest. De plus, le mot dragon-fée l'enchantait. Ça sonnait comme de la musique à ses oreilles.

— Justement, mon père doit la visiter pour l'entraîner, déclara Andrick en gonflant sa poitrine, fier de la prestigieuse mission de son père.

Brusquement, les cygnes qui nageaient paisiblement piaillèrent. Agitant leurs ailes avec force, ils s'élevèrent de la surface du lac. L'eau gicla et créa une brume épaisse semblable à celle de la soupe aux pois. Le bruit était assourdissant et affola Andrick. Au travers de ce crachin, des formes blanches sinistres apparurent. Elles avançaient vers lui. Lorsque la brume retomba, les formes avaient pris l'aspect de fées et de magiciens. Plus aucun cygne. Andrick se sentit menacé, et se cacha derrière Frivole qui s'arqua et déploya ses ailes en grondant. De ses deux mains, il agrippa le cou de Frivole, prêt à l'enfourcher.

— N'aie pas peur, dit Sophia en se rapprochant de Frivole.

Sa voix douce et mélodieuse réduisit la terreur d'Andrick. Il desserra son étreinte et caressa le cou de Frivole. Ce dernier comprit qu'il était inutile d'être sur la défensive. Il rabattit ses ailes et cessa de grogner.

— Inféra a une chose en commun avec nous : nous pouvons nous transformer. C'est un pouvoir qui nous a sauvé la vie lors de l'Événement, ajouta Sophia. Les Envahisseurs n'ont pas osé s'attaquer à des animaux si élégants. Tu es le seul à le savoir. Jusqu'à ce jour, mes frères, mes sœurs, mes cousins et mes cousines se sont interdit de se montrer sous leur forme… disons… humaine.

— Pourquoi ton père veut-il visiter Inféra ? demanda le magicien le plus vieux et le plus terrorisant.

— Je n'en ai aucune idée, bredouilla Andrick encore effrayé.

Andrick comprit qu'il risquait un incident historique. Ce n'était pas à lui d'annoncer cette nouvelle. Dès qu'il avait parlé de dragons et d'Inféra, tous se sentirent concernés comme si c'était une très mauvaise nouvelle. Maintenant qu'il y réfléchissait, il savait qu'il y avait autre chose, mais quoi ? Peut-être y avait-il la possibilité d'une guerre ? La possibilité d'un autre Événement ? Cette idée venait juste de le frapper. Le magicien qui s'était adressé à lui l'épouvantait. Il avait un air si dur.

— Mon nom est Léomé, jeune homme, ajouta le magicien d'un ton inquisiteur. Ton père aurait-il mentionné la venue prochaine d'Envahisseurs ?

– Non, dit Andrick.

Ce magicien avec sa voix grave et ses yeux ténébreux lui figeait le sang. Andrick se remit derrière Frivole qui se courba en position d'attaque et reprit ses grognements. Andrick cherchait dans sa mémoire. Le mot Envahisseur ne lui disait pas grand-chose. Certes, son père avait fait une simple mention, mais s'agissait-il d'un retour des Envahisseurs ou du retour de la chevalerie et de quoi d'autre ? Il s'était tellement enthousiasmé pour Inféra qu'il n'était pas sûr d'avoir bien compris le rôle des Envahisseurs.

Il eut l'impression que Léomé sondait son esprit. La reine se plaça entre Léomé et Frivole. Elle lui fit signe de renoncer, car elle avait bien compris qu'Andrick avait déjà tout dit ce qu'il savait. Andrick était encore trop intimidé par ces hommes et ces femmes qui le fixaient. Derrière Frivole, il tremblotait. Le voyant si fragile, elle afficha un sourire sincère.

– Il est presque midi. Je crois qu'il est temps de se sustenter. J'ai une petite faim. J'aime bien manger à l'intérieur de mon château. C'est avec plaisir que je veux vous recevoir, toi et ton dragnard, à ma résidence royale. Mes compagnons prendront leur repas plus tard, dit Sophia d'une voix rassurante et chantante tout en faisant un signe discret à ses sujets de regagner le lac.

Ces derniers ignorèrent le geste et restèrent à observer Andrick d'un œil sévère. Sophia fut choquée et cachait mal l'indiscipline de ses courtisans. Elle avait si peu de visites. Elle n'allait pas laisser Andrick partir sans lui donner auparavant une cordiale hospitalité. Elle leur tourna le dos et s'appliqua à sourire à ses invités.

— Frivole, mon dragnard s'appelle Frivole, s'écria Andrick en restant derrière lui, encore trop apeuré.

— Oui, quel joli nom. En plus, il est bien mignon. Quel âge a-t-il ? demanda-t-elle en essayant de flatter le museau de Frivole.

Il grogna en jetant des yeux méfiants à cette reine et à ses compagnons si peu réconfortants.

— Vingt ans. Il est encore très jeune, hurla Andrick.

— Un adorable dragnard, un peu sauvage, ironisa-t-elle en abandonnant son intention de le caresser. Bon, moi, j'ai faim. Vous me suivez ?

– Où est le château ? demanda Andrick.

Il ne voyait aucun château. Elle rit. Elle comprit qu'il s'adoucissait.

– Tu n'as qu'à me suivre, dit-elle.

Comme il ne bougeait pas et restait caché derrière son dragnard, elle le rassura en répétant haut et fort, pour que tous comprennent, que ce serait un dîner officiel en tête-à-tête.

Enfin, Léomé et les autres comprirent que la reine ne changerait pas son plan. Ils émirent un puissant murmure d'indignation. Tous retournèrent vers le lac. Aussitôt que leurs pieds s'enfoncèrent dans l'eau, ils se transformèrent en cygnes paisibles. Partiellement réconforté, il sortit de sa cachette. Depuis hier soir, il n'avait mangé que quelques mûres, deux pommes et des canneberges. Sophia lui sourit et lui tendit la main comme s'il s'agissait d'un petit enfant. Orgueilleux, il déclina son offre. Elle se dirigea tout droit vers la montagne aux flancs abrupts et il la suivit. Quelques arbres maigrichons réussissaient à pousser sur ce sol pierreux et escarpé. Andrick se sentit imbécile de la talonner ainsi. Toujours aucun bâtiment en vue.

Ils atteignirent le pied de la montagne. Derrière un rocher, un escalier en colimaçon, comptant de nombreuses contremarches, disparaissait derrière un mur rocailleux. Ils le gravirent. Frivole s'acquittait assez bien de sa tâche d'escalader cette suite de marches abruptes et étroites. Tout en haut, l'escalier se terminait entre deux piliers de pierres blanches. Andrick releva la tête, un impressionnant portail émergea. Un bandeau d'ardoises bleues surplombait l'entrée.

Ils pénétrèrent à l'intérieur de la cavité rocheuse, un intérieur à vous couper le souffle. Des lustres de cristal, des miroirs à l'infini, des tentures de velours. Leurs pas résonnaient dans ce vaste espace vide. Il n'y avait aucune table, aucune chaise. Andrick se demandait bien ce qu'il faisait là. Était-ce un piège ?

Sophia claqua des doigts. Une magnifique table de cristal apparut à l'instant même. Au second claquement de doigts, se déposèrent des verres bleutés et des assiettes en porcelaine blanche d'une finesse incroyable.

À la ceinture de la reine, une baguette bleue était suspendue. Elle la prit et la fit tournoyer dans les airs. Une énorme soupière apparut et parfuma toute la pièce, suivie d'une quantité incroyable de victuailles. L'odeur était divine. Il y avait une corbeille débordante de pains de toutes sortes, de petits pâtés aux champignons, du fromage et des tartelettes aux fraises. Comme breuvage, il y avait des jus de pêches et de framboises ainsi que de l'hydromel. Andrick dévora tout ce que la bonne Sophia lui donna, à un tel point qu'elle se demanda s'il n'allait pas être malade. Frivole trouva quelques petites choses à manger. Il prit un grand bol de lait et se contenta d'un peu de fromage. Il n'y avait rien permettant de se sustenter, aucune viande.

Lorsqu'ils eurent fini de manger, Sophia lui parla des Envahisseurs. Elle lui raconta ce qu'elle savait de la guerre, puisqu'elle était très jeune à l'époque, 55 ans. Pour une fée, cet âge équivaut chez les humains à moins de 6 ans. Sophia sonda à nouveau son esprit et elle vit bien qu'Andrick ne savait rien de plus. Ses yeux pétillaient pour une seule chose, trouver Inféra. Désappointée, elle le remercia de sa visite. Elle fit un gros baluchon de nourriture. Elle lui remit aussi une gourde pleine d'eau guérisseuse.

À sa sortie du château, les compagnons de Sophia avaient conservé leur aspect palmé et nageaient gracieusement. La reine lui défendit de se rendre chez Inféra et lui ordonna de retourner chez lui. Il le promit. Elle vit qu'il mentait. Sophia, voyant sa détermination, se contenta de lui souhaiter un bon voyage.

De prime abord, l'objectif d'Andrick était de visiter la bibliothèque de Mysriak, mais l'insistance de Sophia à lui interdire de visiter Inféra avait piqué sa curiosité. Une chose lui importait plus que tout : rencontrer Inféra. Son projet de visite à la bibliothèque était maintenant renvoyé aux calendes grecques.

— N'oublie pas ! Tu dois garder le cap vers l'est et lorsque tu atteindras l'océan, tu te dirigeras vers le nord, insista t-elle, espérant qu'il change d'avis, et tu devrais reconnaître ton chez-toi.

— Reine Sophia, merci pour tout ! dit Andrick en indiquant son baluchon, et encore un gros merci pour les indications. D'ici quelques heures, je serai de nouveau chez moi.

Elle savait qu'une fois loin des yeux, il se dirigerait vers l'ouest, en direction du royaume du soleil couchant, là où les terres sont rouge faïence et où vit Inféra. Son tressaillement en entendant le prénom du dragon-fée l'avait trahi. Andrick était un jeune homme intelligent et déterminé. Son sursaut en tournant sa tête vers l'ouest avait suffi à lui confirmer la bonne direction pour localiser Inféra.

CHAPITRE 18

LES ÉCRITS DU SAVOIR

Wadyslaw devint transparent et un élégant escalier en fer forgé apparut. Aussitôt qu'O'Neil pénétra, l'écorce de l'arbre s'obscurcit. Quelques torches illuminaient les marches. Il descendit l'escalier qui lui parut interminable. Au fur et à mesure de sa descente, l'air devint de plus en plus humide. Puis, il atteignit le fond, une vaste enceinte circulaire se révéla. Elle se divisait en 26 corridors. Chaque corridor était identifié par une plaquette pendant au-dessus de chaque entrée. Sur ce bout de bois faiblement éclairé, une lettre en or était gravée.

O'Neil marcha d'une ouverture à l'autre et constata que les corridors étaient disposés selon l'ordre alphabétique.

Ce lieu sinistre ne lui inspirait pas confiance. Contrairement à la jolie bibliothèque du Collège de la magie qu'il avait visitée en compagnie d'Éxir, tout ici était sombre et secret. D'un pas hésitant, il se rendit jusqu'à la lettre I.

Ce corridor était tortueux, étroit, bas et doté d'un éclairage à peine suffisant. Il avait l'impression de suivre une des racines de l'arbre. Tout au fond, il se buta à deux petites portes. Ne sachant que faire, il s'écria :

— Wadyslaw, ouvre-toi !

Rien. Il essaya :

— Ouvre-toi, Wadyslaw ! en les frappant de ses deux mains. Par la barbe des dieux, comment ces portes s'ouvrent-elles ? se demanda-t-il à haute voix.

Il remarqua deux poignées. Il mit sa main sur l'une d'elles et la tourna. Les portes s'ouvrirent en gémissant. Il fut déconcerté par la simplicité d'accès à ce lieu. Contrairement aux corridors, l'air était frais et sec et l'endroit, bien éclairé. La lumière provenait de milliers de chandeliers suspendus et de hublots situés au sommet de cette salle vaste et haute. Les murs étaient peints en blanc. Des milliers de livres s'étalaient à perte de vue. C'était encore plus impressionnant que la bibliothèque du Collège de la magie et encore plus que la petite collection du château. Il sursauta quand une voix d'outre-tombe se fit entendre.

— Sire, puis-je vous aider ?

Une vieille femme au teint transparent, vêtue d'une longue toge écrue, se tenait derrière lui. Elle n'avait sûrement pas vu le jour depuis des lunes. Sa peau était d'une blancheur cadavéreuse. Malgré sa maigreur et son aspect hostile, elle lui parut prête à l'aider.

— Je m'appelle Itanja, ajouta-t-elle de ses yeux perçants.

O'Neil prit un certain temps à réagir comme s'il était parvenu au Monde des morts. Il dut se pincer l'avant-bras. Il ressentit une douleur. Évidemment qu'il était vivant. Reprenant ses sens, il la salua.

— Que cherchez-vous, mon Sire ? insista-t-elle.

— Hum ! Chère dame, je cherche des renseignements concernant les dragons.

— Sire, vous êtes dans la mauvaise section. Il faut aller dans la section D. Dame Daijelle pourra vous renseigner sur ce sujet.

— Excusez-moi, je me suis mal exprimé, je cherche des informations sur un dragon appelé Inféra.

Elle parut foudroyée, mais obéit à sa demande.

— Suivez-moi, le livre concernant Inféra a été mis en réserve. Vous ne pouvez consulter les livres de référence que sur place.

O'Neil trouva qu'elle faisait beaucoup de cérémonies dans ce lieu inhabité et où la foule ne se ruait pas à tous les jours pour emprunter des livres. Il la suivit. Tout au fond de l'allée, il y avait une bibliothèque vitrée fermée à clef. Elle glissa son doigt noueux le long de son cou à l'intérieur de sa toge et sortit une chaînette dorée d'où pendait une clef. Elle se pencha vers la serrure et ouvrit la porte. Elle en sortit un livre minuscule. Il était tout ratatiné et le couvert était écrit dans une langue étrange. Précieusement, elle le prit et le tendit à O'Neil. Celui-ci l'ouvrit avec précaution. Il y voyait bien des lettres, mais elles n'avaient aucun sens.

— Je n'y comprends rien, pouvez-vous le lire ?

— Moi non plus, je ne peux le lire, il est écrit en langue dragon-fée.

— La langue dragon-fée ?

— Les magiciens et les fées peuvent la lire ainsi que les personnes qui côtoient les dragons-fées. Une seule visite à un dragon-fée et vous acquerrez cette langue. Il y a aussi des livres de paléographie pour cette langue. Je ne vous le conseille pas. Beaucoup trop ennuyants et les livres sont écrits dans un papyrus d'une couleur si sombre que vous vous arracheriez les yeux à distinguer l'encre du papier et en plus...

Elle se mit à verbaliser tout son savoir. O'Neil l'interrompit avant de connaître la provenance historique complète, soit du papier ou des encres de ces volumes.

— C'est la première fois que j'entends parler d'un dragon-fée et encore plus d'une langue dragon-fée.

— Pourtant, c'est le terme exact de l'Académie doradienne. Un dragon qui se métamorphose en fée ou vice versa se nomme un dragon-fée. Le vrai terme est dragon-fée, insista-t-elle. Il existe aussi des loups-garous, des cygnes-fées, des...

— Oui, oui, j'ai compris. Il existe des dragons-fées, s'impatienta O'Neil.

Il dut remettre le livre. Il n'était d'aucune utilité. Elle le prit précautionneusement, le remit sur l'étagère et ferma la bibliothèque. Elle souffla sur le dessus du meuble pour enlever toute poussière. Elle émit un sourire, satisfaite d'avoir accompli dignement son travail.

O'Neil se dirigea vers la sortie. Il aurait bien aimé feuilleter au passage quelques livres. Plusieurs étaient recouverts d'or et avaient des titres accrocheurs comme : Interespace galactique, Insectes lumineux et magiques, Isramaliens : un peuple à découvrir, Iridologie et votre santé, Itinéraires du continent. Au passage, il s'arrêta et prit un livre. Il l'ouvrit. Il contenait des descriptions extraordinaires et des cartes des plus détaillées. Il en était stupéfait. Il aurait voulu l'emprunter, mais cette Itanja lui collait aux fesses. Avec regret, il le remit à sa place. Juste avant de quitter ce corridor, il demanda :

— Connaissez-vous d'autres dragons-fées?

Elle prit un certain temps avant d'affirmer :

— Oui, il en existe d'autres ou, du moins, il en existait d'autres. Lors de l'Événement, il y a eu de tels bouleversements, il y a de cela 150 ans, Sire, que j'ignore où en est la situation actuelle. J'ose croire qu'il en existe plus qu'un, sinon les Envahisseurs nous détruiront à tout jamais.

Un froid lui parcourut l'échine. Il reprit à sens inverse les corridors et regagna la terre ferme. À l'extérieur, il prit deux bonnes inspirations. Il aurait bien voulu faire des recherches sur les dragons ou sur la chevalerie ou peut-être sur l'armée. Malheureusement, cette lugubre bibliothèque l'angoissait. Tous ces corridors tordus et sinistres et cette Itanja lui donnaient des migraines. Il n'avait appris qu'une chose, Inféra était un dragon-fée. Wadyslaw venait à peine de reprendre sa forme originale qu'O'Neil vit un nuage noir ralentir et s'immobiliser au-dessus de lui.

— Encore ce vaisseau spatial ! s'exclama-t-il.

Il courut rejoindre Pégasus et se mit en direction du domaine du Verger de la Pomme d'Or où demeurait Zéphire. La route passait près du château de Mysriak. Plusieurs gardes à cheval vinrent à sa rencontre et lui firent signe de s'immobiliser.

— Sire O'Neil Dagibold, dit l'un d'eux, tout essoufflé.

— C'est bien moi, que me voulez-vous, brave homme ?

— Le roi vous réclame, lança-t-il d'un ton froid.

O'Neil les suivit. Une demi-heure plus tard, il entra dans la salle d'audience, accompagné de trois gardes qui le suivaient de près. Le roi et la reine l'attendaient. Ils étaient tous deux assis et agités. O'Neil fit une révérence.

— Relevez-vous, Sire Dagibold, il y a urgence.

— Votre Altesse, je suis tout ouïe.

— Le fameux nuage noir que vous nous avez décrit est encore passé ici, il y a à peine une heure. Il est resté plusieurs instants au-dessus du château. Je crains qu'il prépare une attaque ou un enlèvement. Il semble surveiller de très près Launa. Il ne cesse de rôder autour d'elle. Je vous ai demandé de visiter Éxir et de trouver une issue et, à ce que je vois, vous n'avez rien de nouveau à m'apprendre, hurla Wilbras V.

C'était la première fois qu'O'Neil voyait le roi de si mauvaise humeur. Il avait une bien pauvre excuse pour expliquer être resté sur place à la fieféerie Verger d'Or. Il se risqua à lui dire.

— Votre Altesse, il y a une coutume entre fées qui veut que lorsque des fées se visitent, après une longue absence, elles doivent fabriquer des petites douceurs faites de leurs propres mains. Ainsi, ma douce Pacifida est allée chez sa tante préparer des pâtes de fruits. Compte tenu qu'elles étaient occupées à ces préparations, je me suis rendu à la bibliothèque Wadyslaw pour me renseigner sur Inféra, un dragon…, euh ! un dragon femelle, votre Excellence. Elle est notre issue.

— Enfin, c'est ce que prétend Éxir, ajouta-t-il à demi-voix.

La reine se leva de son siège et se mit à marcher de long en large de l'estrade.

— Baliverne ! s'écria Morina. Il n'existe pas de coutumes de cette sorte. Vous devez trouver cette Inféra dès que possible au lieu de croire Pacifida. La fabrication de confiserie, décidément, j'aurai tout entendu.

— Majesté, ma toute reine, j'ai cru que c'en était une. Je n'ai fait qu'exécuter les ordres et observer les us et costumes de la féerie, dit-il incrédule en s'inclinant.

Jamais Pacifida ne lui avait menti. Est-ce que cette soudaine joie de pratiquer à nouveau la magie l'avait envoûtée à un point tel qu'elle ne distinguait plus le vrai du faux ? Quelle belle perspective, pensa-t-il, avec tous ces magiciens et fées qui s'en donneront à cœur joie ! Le pays s'en va à la dérive et non vers l'équilibre.

— Puisque je vous dis qu'il n'existe pas de telles traditions ! révéla Morina avec fracas.

— Hé bien, mon cher O'Neil, tonna Wilbras V sur un ton sarcastique, je suis déçu de votre inefficacité. Je vous ordonne sur-le-champ de vous rendre chez...

Le roi n'eut pas le temps de terminer sa phrase que des cris puissants retentirent dans le corridor. Les portes s'ouvrirent. Une servante entra en criant et en se roulant par terre. Aucun son cohérent ne sortait de sa gorge. Deux gardes intervinrent et la soulevèrent. Le roi inquiet se dressa.

— Calmez-vous, brave dame ! hurla le roi.

La croyant en état de se tenir debout, les deux gardes la relâchèrent. Elle se suspendit un moment au bras d'un des gardes avant de s'écrouler par terre. Le roi s'approcha d'elle et lui administra une solide gifle au visage. Elle reprit son souffle. Son teint demeura blanchâtre. Malgré ses étourdissements à la tête, elle s'appuya sur ses coudes et se releva. Elle tremblait de tous ses membres et ses yeux roulaient dans tous les sens comme pris de folie. Le roi appliqua ses deux mains sur ses épaules et la secoua fortement. Ce geste la fit réagir.

— Launa n'est plus ! Launa n'est plus ! prononça-t-elle avec force.

— Mais que dites-vous là, ma brave dame, dit le roi interdit par cette nouvelle.

— Votre Altesse, Launa et Frenzo marchaient côte à côte dans la cour intérieure quand un gros nuage noir s'est immobilisé au-dessus d'eux. Et... puis... en quelques secondes, ils ont disparu... aspirés par le nuage... ce gros nuage... comment est-ce possible ? Je vous le jure... elle...

Elle émit des sons incompréhensibles tout en hoquetant et en se tordant les doigts. Le roi se releva et se rapprocha d'elle prêt à la gifler à nouveau.

— Continuez, dit le roi.

— Elle criait... elle n'arrêtait pas de crier : « Sauvez-moi, sauvez-moi. » C'était horrible.

Maggie sanglota. De grosses larmes coulaient. Elle essayait tant bien que mal d'assécher ce débordement en expulsant l'eau sur le côté de son visage avec ses doigts.

— Je vous le jure, Majesté, j'aurais donné ma vie pour les empêcher de s'envoler et de disparaître dans cet affreux nuage, ajouta-t-elle.

La voix tremblotante et pleine de sanglots, elle était incapable d'en dire plus. Elle serra très fort son tablier. La reine se leva de son siège à son tour pour la questionner.

— Empêcher qui ?

— Pardi, Launa et Frenzo.

— Je veux dire, eux, qui sont-ils ?

Maggie sentit ses jambes se dérober sous elle. Elle s'effondra. Le roi se retourna vers O'Neil et tonitrua :

— Je vous donne 48 heures pour me ramener Launa.

— Mais…

— Il n'y a pas de mais. Si d'ici 48 heures Launa n'est pas revenue, vous serez pendu haut et court au vu et au su de tous. C'est mon dernier mot.

Cette paix qui avait duré 150 ans était maintenant chose du passé. Le roi l'avait menacé. Son honneur était en jeu. Sa vie dépendait d'Inféra. Il devait la trouver coûte que coûte. D'un autre côté, il n'osait le dire, il avait peur de cette Inféra. N'était-elle pas une ensorceleuse ? Ne parlait-elle pas une langue que seuls les magiciens et les fées ou toutes autres personnes qui la côtoyaient pouvaient comprendre ? S'il la voyait, il deviendrait sa possession et il ne pourrait que parler la langue des dragons-fées. Était-ce bien ce qu'avait dit Itanja ? Il ne pourrait plus parler d'autres langues.

Il était confus. Comme un fou, il sortit du château et enfourcha Pégasus. Il aurait voulu que son cheval vole. Il n'avait qu'une pensée : se défouler sur Pacifida. Elle lui avait menti sur toute la ligne. Elle n'avait pensé qu'à sa petite personne. Elle l'avait obligé à transporter des bagages volumineux remplis de robes inutiles. Et cette coutume complètement débile, des petites douceurs de leurs propres mains. Il regrettait d'être aussi naïf et, surtout, il regrettait d'avoir perdu un temps précieux en prenant des chevaux au lieu des dragnards. Par la faute de sa conjointe, il allait être pendu. Il fallait qu'il retrouve à tout prix Launa dans les prochaines 48 heures.

Après une course effrénée, il arriva en fin d'après-midi à la demeure de Zéphire. Il ne reconnut pas les lieux. Des milliers d'oiseaux piaillaient et les plantes avaient des couleurs changeantes et inusuelles. Il s'approcha de la demeure lentement. Quelle ne fut pas sa surprise de trouver son épouse, la tante et les deux cousines dans un état comateux. Sa vengeance fondit instantanément. Elles étaient toutes les quatre à l'extérieur du domaine. Malgré tous les caprices de sa femme, il l'aimait profondément. Pacifida étendue, les yeux ouverts, faisait tournoyer sa baguette qui avait pour effet de modifier la couleur du paysage. Zéphire se roulait par terre en admirant les oiseaux. Rutha semblait droguée par le parfum d'un nombre étonnant de fleurs et Liana suffoquait sous une tonne de pierres précieuses. Il essaya du mieux qu'il put de les réveiller et d'aider Liana à sortir sous le tas de pierres précieuses. Elles étaient comme sous l'effet d'un charme.

Il courut à la volière à l'arrière de la demeure. Il écrit un court message à Éxir et l'attacha au pied d'un des pigeons voyageurs. Il l'embrassa et le lança dans les airs.

— Vite, apporte ce message au bon magicien Éxir, ma vie et toutes nos vies en dépendent.

À demi rassuré, il rejoignit sa douce épouse qui ne cessait d'agiter sa baguette magique. Il essaya en vain de lui soustraire cette baguette, mais elle semblait soudée à son bras. L'astre diurne se couchait à l'horizon et un vent froid d'automne s'abattit dans la vallée. Il prit soin de les recouvrir, elle, sa tante et ses cousines, d'une chaude couverture avant d'aller dormir.

Toute la nuit, il se tourna et se retourna. Des cauchemars le tinrent éveillé. Il se voyait aspirer vers ce nuage où l'attendaient des monstres ayant des gueules démesurées. Ces bêtes avaient faim et de la salive coulait de chaque côté de leur bouche. Ils tournaient autour de lui en grinçant des dents. Juste au moment de se faire mordre, O'Neil se réveillait. Il se rendormait et le cauchemar recommençait. Au petit matin, fourbu et vidé, il ne voyait d'aucune façon comment il pourrait s'acquitter de sa mission. Il constata sa faiblesse. Du courage, il lui en fallait beaucoup. Malheureusement, il ne le sentit pas en lui. Déjà, de précieuses heures s'étaient envolées. Pour la première fois de sa vie, il sanglota et espéra qu'Éxir puisse corriger la situation.

CHAPITRE 19

UN BAIN FORCÉ

Frivole, frustré de n'avoir bu que du lait, se garda de montrer son insatisfaction, tandis qu'Andrick, heureux d'avoir un bon baluchon de pain, de fromages et de pâtés aux légumes ainsi que de l'eau guérisseuse, atteignit le bas du château d'un pas léger. Mais il se souvint qu'il oubliait une chose importante lorsqu'on voyage. Avec réticence, il osa demander des allumettes. La fée Sophia fut très gentille. Elle lui remit non seulement ce bien essentiel, mais aussi une grande couverture chaude qu'elle mit sur sa selle. Il la remercia et partit. Ça ne faisait pas deux minutes qu'il survolait la forêt que Frivole n'arrêtait pas de grogner. Voyant son mécontentement, Andrick le rassura.

— Ne t'en fais pas, encore une demi-heure ou plus de vol et nous nous arrêterons. Tu pourras attraper tout le gibier que tu voudras. La bonne fée Sophia nous a dit de nous diriger tout droit vers l'est et c'est ce que nous faisons. Mais en réalité je veux me diriger vers l'ouest, vers Inféra. Je sais que si mon père savait que je me suis enfui et que je cherche Inféra, oh ! la la ! je sais, je serais sévèrement puni. Je suis un mauvais garçon.

Frivole hennit et hocha la tête à de nombreuses reprises.

— Toi aussi, Frivole, tu crois que je devrais faire demi-tour et retourner chez moi avant que père ne revienne. Mais tu me connais Frivole, ma curiosité est trop grande. Un dragon, Frivole, un dragon qui vole ! Je m'imagine voler dans les airs avec elle et toi, à mes côtés. Elle doit être magnifique avec une fourrure rouge, toute douce. Je ne peux me résoudre à l'imaginer avec des écailles. Pouah ! Des écailles de poisson ! Je crois que mère s'est trompée. Après tout, elle a dit qu'elle ne l'avait jamais vue et qu'elle était à l'autre bout du pays. C'est bien vers l'ouest, mon beau Frivole, que nous devons nous diriger. Tu verras, elle doit être magnifique. C'est ici que nous changeons de cap. Tout à l'ouest, Frivole!

Frivole était partagé entre des sentiments de bonheur et de peur. Peur que son maître ne l'oublie. Peur qu'il devienne amoureux de ce dragon. Et puis, ça lui plairait bien que ce dragon ait des écailles puantes et gluantes. En y pensant bien, il n'adhérait pas à l'idée qu'elle ait l'allure d'un poisson volant. En secret, Frivole rêvait de cette rencontre. Il était aussi curieux que son maître de la voir de près. Peut-être que lui aussi volerait sur son dos. Aux dires de tous, elle était immense. Il ne pouvait concevoir qu'elle soit laide. Et si lui aussi devenait amoureux de cette Inféra?

Ce sentiment le remplit de joie. Il fit une culbute arrière et accéléra. Andrick poussa un cri de surprise et fut heureux de constater sa vivacité. Frivole vola d'une traite sans grogner durant trois bonnes heures. Andrick vit une belle clairière. Il flatta le haut du cou de Frivole. Le dragnard fit deux mouvements de tête vers le haut signifiant ainsi qu'il avait compris. Frivole pouvait s'arrêter et relaxer. Il avait très faim. Du haut des airs, juste avant d'atterrir, il vit quelques lièvres gambader à l'orée du bois. Il se lécha les babines.

Il se posa au haut d'une butte près d'un grand sapin. Le soleil se couchait. Andrick libéra Frivole de sa selle et ramassa des branches sèches pour un feu. Frivole partit et revint au bout d'une demi-heure, repu. Andrick se faisait griller deux tranches de pain au-dessus du feu et déposa du fromage sur son pain qui se ramollit sous la chaleur. Il était heureux et impatient d'être en tête-à-tête avec Inféra. Le froid s'empara des lieux. Il ranima le feu en ajoutant plusieurs branches et s'enroula avec la couverture généreusement donnée par la reine Sophia. Frivole s'accroupit près de cette source de chaleur. Confortablement collé contre son dragnard et sous un ciel étoilé, Andrick lâcha plusieurs bâillements et s'endormit.

Le lendemain, bien reposé, Andrick se leva particulièrement en forme. Il ramassa d'autres branches et ranima le feu partiellement éteint. Juste au bas de la butte, une rivière s'y trouvait. Il se dévêtit et trempa un pied. L'eau glaciale le dissuada de prendre un bain. Le voyant ainsi près de l'eau, Frivole accourut et plongea. Dans son élan, il provoqua une lame d'eau éclaboussant son maître. La pierre moussue et vermoulue, sur laquelle il se tenait, se recouvrit d'eau. En un instant, la surface antidérapante se transforma en roche glissante. Andrick se sentit déstabilisé. Luttant pour retrouver son équilibre et essayant de quitter cet endroit instable pour regagner la terre ferme, il reçut une seconde vague qui le fit, cette fois-ci, tomber à l'eau. Frivole, inconscient du danger, s'amusait et s'agitait avec vigueur pendant qu'Andrick s'enfonçait au fond de la rivière. Ce dernier sentit immédiatement l'effet engourdissant de cette masse aqueuse glacée. Il voulut crier, mais elle s'infiltrait dans sa bouche et dans ses poumons. Il lutta contre ce froid paralysant. De peine et de misère, il réussit à s'agripper aux galets et à ramper jusqu'à la rive. Grelottant et toussant, il s'installa près du feu. Au loin, Frivole se roulait dans cette eau glacée avec entrain en hennissant des cris de joie.

Dix minutes plus tard, Frivole tout pimpant sortit de la rivière. En arrivant près de son maître, il se secoua vigoureusement et des milliers de gouttelettes éclaboussèrent

Andrick. Ce dernier était horrifié. Le feu, lui aussi, avait reçu cette pluie battante et vacillait péniblement.

— Frivole, regarde ce que tu as fait. Tu m'as pratiquement noyé.

Frivole lança un long son d'étonnement.

— Tu m'as projeté au fond de la rivière quand tu as sauté à l'eau, s'exclama Andrick avec force.

Le dragnard inclina sa tête et émit une plainte langoureuse.

— Je suis maintenant tout mouillé, hurla Andrick. Ça ne sert à rien d'avoir l'air penaud, cervelle de moineau ! Je n'ai pas d'autres vêtements. C'est vraiment intelligent de ta part. Sale bête !

Frivole tout honteux s'écrasa au sol en geignant. Ses oreilles habituellement si pointues et si droites étaient repliées, et ses yeux si ronds et si joyeux étaient étirés et tristes. Il était irrésistible. Andrick ne put résister à son charme. Il se dérida et se mit à rire.

— Viens-t'en mon beau Frivole ! s'exclama Andrick. T'es pas une sale bête.

En moins de deux secondes, Frivole sauta à son cou. Andrick tomba à la renverse. Frivole lui léchait la figure. Sa fourrure était encore toute trempée.

– Arrête, tu es mouillé. Frivole, arrête, tu me chatouilles. C'est bon ! dit Andrick en se relevant. Il faut que je fasse un autre feu et que je sèche mes vêtements.

Frivole sautilla et saisit quelques branches avec sa bouche. Andrick apprécia son aide. Il raviva le feu. Il fit une charpente en bois près du feu et étala ses vêtements pour qu'ils sèchent. Entouré de la couverture que la bonne fée Sophia lui avait donnée, il se prépara un thé et but. Frivole attrapa un lièvre et le dévora avec appétit.

Malgré son bain forcé, Andrick se réjouissait d'entendre la rivière couler et les oiseaux chanter. Il était seul dans cette clairière. Aucun souci, aucune envie de retourner chez lui et pourtant n'y avait-il pas un malheur qui planait sur ce beau pays ? Melvin et son père avaient vu un nuage noir, qu'est-ce que cela signifiait ? Andrick essayait de se rappeler les moindres mots prononcés par son père. À sa souvenance, O'Neil n'en avait pas reparlé. C'était mauvais signe. Avait-il caché une vérité difficile à accepter ? Léomé n'avait-il pas, lui aussi, parlé d'Envahisseurs ? Fouetté par cette idée que le pays puisse être un jour envahi, Andrick se releva.

Il était déjà tard. Il avait perdu beaucoup trop de temps. Il siffla. Frivole vola vers lui.

– Allons, fini les flâneries. Nous partons.

Quoique ses vêtements ne soient pas entièrement secs, il se revêtit, secoua la couverture, refit le baluchon et éteignit le feu comme son père l'avait si souvent conseillé. Il monta sur son dragnard.

– Direction ouest.

Frivole partit à la vitesse de l'éclair. Il ralentit cinq minutes plus tard et vola à une vitesse de croisière normale. Du haut des airs, Andrick découvrit une végétation de plus en plus luxuriante. Les arbres étaient si hauts et si serrés qu'il ne voyait plus le sol. Il volait maintenant depuis une bonne heure. Il fallait mettre pied à terre, mais où ? Il regarda à gauche, à droite et fit décélérer Frivole. Toujours aucun endroit pour atterrir. Soudainement, sans raison apparente, Frivole fit une volte-face brutale. Le mouvement était si brusque qu'Andrick lâcha la bride. Frivole fit une autre pirouette et, cette fois-ci, Andrick se sentit éjecté de sa monture.

Il volait dans les airs. Quelques branches se fracassèrent sous lui. D'autres lui égratignèrent le visage au passage. Il descendait toujours. Rien ne semblait arrêter sa chute. Des centaines de branches le fouettaient violemment. Il avait l'impression que cette chute était sans fin et, qu'en touchant le sol, il ne serait qu'une boule de chair ensanglantée. Sa dernière heure était arrivée. Il s'écrasait au sol comme une simple punaise. Il regrettait d'avoir désobéi à ses parents et de ne pas avoir suivi les conseils de sa sœur Nina incarnant la sagesse même. Voilà un résultat imprévu pour lui : mourir loin des siens dans un endroit perdu. Demain, il ne restera rien de lui. Les loups l'auront dévoré et personne ne trouvera son corps pour être embaumé et déposé dans une crypte. Il eut une pensée pour son père et sa mère, une autre pour sa sœur jumelle, une pour la jolie Arméranda, une pour Launa la bagarreuse, encore une autre pour Inféra et enfin une dernière pour Frivole, puis ce fut le néant.

CHAPITRE 20

L'ABSENCE DE LAVNA

Tôt ce matin, le roi fit réveiller sa femme et ses enfants pour une convocation royale dans la grande salle à manger. Il se tenait debout près de la grande table. Naura arriva la première en tenant son Bichou. Elle s'inclina et s'assit. Elle bâilla à profusion et prit un siège. Elle installa Bichou sur ses genoux.

Par la suite, Morina arriva d'un pas traînant. Sa carnation normalement d'un blanc éclatant avait pris des teintes jaunâtres. Elle avait à peine dormi. C'est avec douceur qu'elle se tira une chaise.

Éloy arriva en sautillant. En entrant, il tira sans ménagement les cheveux de Naura qui lâcha un cri perçant. Il courut embrasser son père qui le gifla. Cette claque l'avait tellement surpris et secoué qu'il s'étonna de ne pas pleurer. Il se contenta de s'asseoir près de sa mère en se frottant la joue frappée.

Enfin, Wilbras VI arriva d'un pas paresseux. Il prit une chaise et constata que sa chemise était mal boutonnée. Avec discrétion, il la reboutonna. Le roi marcha vers lui. Il s'attendait à une réprimande, mais il passa à côté de lui sans rien dire. Il ferma les lourdes portes qui grincèrent et revint s'asseoir.

– Père, pourquoi nous avoir convoqués si tôt ? émit Naura en ouvrant mollement la bouche.

Il y eut un silence. C'est alors que Naura se rendit compte de l'air fatigué de son père. Elle fit un tour de table et nota l'absence de Launa.

– Hein ! C'est bien la première fois que je remarque que je suis arrivée avant Launa. Elle doit encore traîner dans son lit ou jouer dehors avec SON FREN-ZO, s'exclama Naura en pouffant de rire.

Elle riait en reniflant comme un porc et avait des spasmes au niveau des épaules. C'est comme ça que riait Naura lorsqu'elle s'énervait. Ce calme la dérangeait. Elle crut bon de casser cette quiétude par une remarque concernant la fille chérie de son père. Pourtant, elle savait que le roi aimait tellement Launa qu'il était défendu de dire ne serait-ce qu'un seul mot de disgracieux à l'endroit de sa préférée. Et son arrogance risquait la foudre de son père. Ce qui devait arriver arriva. Il lui jeta un regard sévère.

– Petite insolente ! cria son père en s'avançant vers elle, le bras levé. Si je ne me retenais pas, je te giflerais jusqu'à perdre le souffle.

Naura cessa de rire. Elle s'attendait à en recevoir une bien méritée derrière la tête. Elle se renfrogna et replia ses bras, en guise de protection, autour de Bichou, son animal adoré. Elle l'aimait plus que tout, à défaut de l'amour de son père.

– Tout doux, mon mari ! L'heure est assez grave comme ça, il ne faudrait pas en rajouter, dit Morina en se dressant, prête à secourir sa fille.

Éloy et Wilbras VI se regardèrent. Qu'était-il donc arrivé à Launa ? Elle n'était pas là. Était-elle souffrante ? Personne dans la famille ne doutait de l'amour inconditionnel de leur père pour Launa. Naura était celle qui souffrait le plus de ce sentiment si fort de son père envers sa sœur cadette. Elle avait beau démontrer de l'attention et l'accompagner dans ses nombreuses tâches royales, rien n'y faisait. Il n'avait d'yeux que pour Launa.

— Mais à la fin, mère, pourriez-vous nous expliquer la raison de notre rencontre de si bonne heure ? demanda Wilbras VI.

— Justement, j'avais prévu un traitement des ongles et de beauté vers les 10 h et... annonça Naura pour dérider encore une fois l'atmosphère.

— Silence ! tonitrua Wilbras V.

— Mais père, c'est juste pour... ajouta-t-elle d'une voix agacée par le ton bourru de son père.

— J'ai dit, silence ! l'interrompit-il avec encore plus de force.

Sa voix résonna dans cette grande salle. Tous furent saisis et retinrent leur souffle. Jamais au grand jamais, le roi ne s'était montré aussi hystérique. On aurait dit qu'une tarentule l'avait piqué dans le cou. Il avait la tête rouge, les yeux exorbités, les épaules compressées en avant et il était prêt à étouffer quiconque oserait parler.

– Launa n'est plus, dit le roi d'une voix tranchante.

Tous, à l'exception de la reine, se demandaient de quoi Launa était décédée. Ils s'interdirent de regarder leur père et ils abaissèrent leur tête en signe de respect.

– Nous avons constaté sa disparition hier, ajouta le roi.

Les trois enfants comprirent qu'elle n'était pas morte. Ils émirent un soupir de soulagement. Mécontent, le roi tapa des mains à deux reprises pour attirer l'attention et exiger le silence. Sans égard à ce geste, Éloy émit une hypothèse :

– Elle s'est trop éloignée du château et, comme il faisait noir, elle a décidé de dormir à la belle étoile. D'ici une heure ou deux, elle sera de retour, père.

– C'est vrai, père ! Elle aime tellement son Frenzo. Elle a dû oublier l'heure et elle s'est couchée dans une clairière, peut-être même dans une auberge. Je peux seller un cheval et partir à sa recherche, suggéra Wilbras VI.

Les enfants se regardèrent et se sourirent entre eux. L'explication était simple. Elle n'était pas là parce qu'elle avait commis une imprudence. Comme tout le royaume l'adorait autant que son père, personne ne songerait à lui faire du mal. Il n'y avait aucune raison de s'inquiéter.

– Petit effronté ! Si ce n'était que ça, j'aurais déjà envoyé mes gardes, rugit le roi.

Tous, y compris la reine, redoutaient les prochaines paroles du roi. Ce dernier se mit à marcher en rond, derrière leur dos. Wilbras VI, Éloy et Naura baissèrent la tête et n'ouvrirent pas la bouche. Ils craignaient qu'avec un seul mot de travers, c'en serait fait, et qu'ils recevraient une claque derrière la tête. En signe de soumission, ils courbèrent l'échine et fixèrent le dessus de la table. Qu'est-ce qui s'était donc passé ? Leur paternel si jovial et si bon s'était transformé en monstre méchant et dur.

– Launa n'est plus, ai-je dit. J'ai aussi dit qu'elle avait disparu et vous avez conclu qu'elle avait dû faire une petite ballade en dehors du château. Bande de crétins ! D'idiots ! De petites personnes insouciantes et vaniteuses... Maintenant, je vous ordonne de m'écouter et de ne plus m'interrompre, dit-il en leur jetant un regard menaçant. Launa a été enlevée.

Il y eut des geignements. Naura avait gémi plus fort que les autres. Elle vit son père s'arrêter près d'elle et regarder Bichou. Il se toilettait sur le giron de sa maîtresse. Il le prit par le cou et le souleva jusqu'au niveau de son visage. Bichou, amusé, lui lécha le bout du nez. Le roi s'empourpra et le tira au fond de la pièce. Il heurta un mur et s'aplatit au sol. Le pauvre émit de longues plaintes. Naura savait qu'elle ne pouvait se lever ni aller le réconforter. Elle se couvrit les oreilles pour ne pas entendre les lamentations de Bichou. Elle ravala ses larmes et pria pour qu'il ne la frappe pas. Morina mit sa main dans sa poche. Elle saisit sa baguette. Jamais elle n'avait vu son mari si désemparé. S'il le fallait, elle lui jetterait un sort, celui de l'endormissement. Bichou comprit que l'heure était grave. Il se recroquevilla et cessa de se lamenter.

— Je vous ai dit, silence ! cria le roi les yeux à fleur de tête.

Il continua sa ronde. Cette marche semblait le calmer. Au bout d'un certain temps, il reprit son discours :

— Bien des choses viennent de changer. Nous vivions dans un monde agréable et paisible. Tout était parfait à mes yeux, mais voilà, tout vient de basculer. Launa a été enlevée, ainsi que Frenzo. Non, elle n'est pas partie faire une petite ballade en forêt. Elle était bien au château lorsque l'enlèvement a eu lieu. Elle et Frenzo ont été enlevés par des forces inconnues.

Dans la salle, le silence était implacable à l'exception des bruits usuels provenant du corridor. Le roi s'immobilisa devant Wilbras VI.

– Junior, tu es le seul qui peut la retrouver.

– Moi, père ? Comment ?

– Tu formeras une armée et tu en seras le chef. Je te nomme Chevalier de Mysriak.

– Père, je reconnais que c'est tout un honneur, mais n'y a-t-il pas des personnes plus expérimentées et plus douées que moi ?

En entendant la répartie de son fils, Wilbras V grincha. Il se mordit la joue intérieure pour ne pas le saisir par le collet, le jeter par terre et le rouer de coups. Il s'éloigna de lui et prit quelques bonnes respirations.

– Si, dit-il avec un calme à peine maîtrisé, j'ai donné la mission à O'Neil Dagibold de retrouver ma fille, hier après-midi. Depuis, aucune nouvelle. J'ai attendu toute la nuit. Je n'ai pas fermé l'œil de la nuit. J'ai attendu patiemment. Je doute qu'il soit à la hauteur de mes attentes. Si, d'ici demain soir, je n'ai aucune nouvelle de lui, il sera pendu.

À ces mots, Naura se releva d'un bond. Elle ne pouvait pas croire qu'il allait pendre un homme qui avait contribué tant au royaume.

— Père, ça n'a aucun sens, s'écria Naura. Vous ne pouvez pas faire ça !

— Si, je le peux. Je suis le roi, chère Naura, dit sarcastiquement Wilbras V. O'Neil Dagibold, le très grand O'Neil, hé bien, il sera pendu avec toute sa famille !

Il prit un air diabolique et se mit à rire. Imaginer les membres de la famille Dagibold, chacun d'eux amené à la potence et pendu, le satisfaisait, un bonheur qui remplaçait la perte de sa chère Launa.

— Même Melvin ? ne put s'empêcher de demander Naura.

— Lui et tous les autres, dit le roi d'un ton inébranlable. Junior sera responsable de trouver Launa et, d'ici demain midi, de rechercher tous les membres de la famille Dagibold pour qu'ils soient pendus haut et court, au su et au vu de tous dans les jours suivants.

Malgré que Wilbras VI n'aimait pas que son père l'appelle Junior, un prénom tellement insignifiant, il acquiesça de la tête et jeta un regard condescendant vers sa sœur. Un sourire malicieux se dessinait sur son visage. Naura se sentit trahie. Comment son propre frère pouvait-il accepter une telle affectation? Les Dagibold avaient toujours joui d'une très haute estime auprès du roi. Cette mission risquait d'être très défavorable auprès de tous les sujets.

— Père, je ne peux le croire, pleurnicha Naura, vous qui avez eu beaucoup de considération pour sire Dagibold.

— C'est mon dernier mot et, si tu n'es pas contente, tu en feras partie.

La reine faillit presque tomber à la renverse. Elle savait que le roi dépassait les bornes. Désormais, il souffrait de la disparition de sa fille. Elle le perturbait à un point tel que la reine reconnut des signes d'une maladie appelée le cerveau fissuré. Elle avait connu certaines gens touchés par cette maladie. Le chagrin finissait par avoir le dessus sur leur vie. Ils s'éteignaient dans une profonde tristesse. Malheureusement, elle ne connaissait aucun remède ni aucune magie pour les guérir ou les ramener à un état plus serein.

— C'est tout ! La séance est levée, dit le roi.

Wilbras VI se leva, ravi. Pour une fois, il se sentit utile. Il serait le chef d'une armée. Dès qu'il fut au-dehors de la salle, il inspecta tous les gardes autour de lui. Il savait leur nom et leur âge. Il connaissait aussi leurs forces et leurs faiblesses. Certains étaient forts comme des bœufs, d'autres habiles à l'épée. Il lui fallait choisir des hommes de main, ceux qui seraient prêts à mourir pour lui et pour son père. Quoi de mieux que des épreuves ? Oui, ce serait la meilleure façon de séparer les bons des mauvais. Il avait une armée à diriger.

Éloy se leva et alla chercher Bichou qui gémissait faiblement. Il lui caressa la tête et le souleva. Une patte pendait bizarrement. Il le remit à Naura qui accourait vers son dragnard.

— Je crois qu'il a une patte cassée, ton Bichou, dit gentiment Éloy.

— Mère, Bichou est blessé, souffla doucement Naura.

Morina sortit de l'eau guérisseuse, qu'elle avait dans une gourde à la ceinture, et en administra une bonne quantité. La guérison fut immédiate. Il frétilla de la queue et hennit de joie. À l'autre bout de la pièce, le roi était atterré par tant d'attention pour un dragnard aussi insignifiant.

— Abrutis ! Sortez au plus vite ! Loin de cette salle, loin de moi, s'écria-t-il.

Tous les trois sortirent et s'enfuirent de la salle en retenant leurs larmes. Le roi les regarda s'éclipser de sa vue. « Bande de crétins, même mon épouse est une lâche. Elle n'aime pas sa fille autant que je l'aime. Sans Launa, je ne suis qu'un père sans bras et sans cœur. Où es-tu, Launa ? As-tu survécu à cette aspiration ? Chère Launa, si tu pouvais me glisser un mot pour que je sache si tu es encore vivante ? Souffle-moi un mot », lança Wilbras V en pleurant.

Un coup de vent fit soulever les rideaux. Il crut entendre sa fille lui murmurer :

— Je suis là, mon petit papa.

Wilbras V s'ébahit et reprit confiance. « Oui, ma fille est bien vivante », pensa-t-il.

CHAPITRE 21

LE MUR NOIR

Launa se réveilla. Elle avait beau ouvrir les yeux et les fermer. Rien ne se passait. Il faisait toujours noir. Elle frémit. Serait-elle devenue aveugle ? Elle étala ses mains autour d'elle. Elle était couchée dans un lit moelleux aux couvertures soyeuses. Elle avait les mains moites et respirait bruyamment. L'air était différent. Il ne sentait rien. Aucune odeur d'herbes ou de fleurs, ni de boulangerie et encore moins de chocolat chaud. Rien. Un endroit inodore. Un endroit étrange.

Elle pleurnicha. Quoi d'autre pouvait-elle faire ? Elle était aveugle et ignorait où elle était. Elle avait un vague souvenir des événements antérieurs. Quelque temps plus tôt, elle et Frenzo s'étaient sentis aspirés dans les airs et puis, plus rien. Elle se redressa dans son lit. Elle appela Frenzo. Aucune réponse. Elle s'allongea et mit les couvertures sur sa tête. Triste et seule, elle sanglotait. Puis, elle eut des crampes à l'estomac. Depuis combien d'heures était-elle dans ce lit ? Elle aurait aimé boire un bon chocolat chaud. Cette boisson l'aurait sûrement réconfortée. Elle serra bien fort les couvertures. Comme compagnons, elle n'avait qu'un silence angoissant et une noirceur intense.

Elle entendit des pas lointains se rapprochant. Il y avait donc un être vivant dans cet espace sordide. Loin d'être rassurée, elle trembla comme une feuille. Elle comprit que cette personne se dirigeait vers elle. Elle se fit toute petite. Les pas s'arrêtèrent. Elle entendit une porte s'ouvrir. Puis, les pas passèrent juste à côté d'elle. Un grincement la fit sursauter. Peu à peu, une lumière se répandit dans la pièce. Elle fut heureuse de constater qu'elle n'était pas aveugle. Les draps étaient d'un rose cendré. Elle repoussa un coin. Elle vit une femme frêle et habillée tout de noir qui tirait sur des cordes. Une partie de rideaux disparut dans une alcôve située au sommet de la pièce. La dame alla à l'autre rideau et fit la même chose. Puis un autre. Elle n'avait jamais vu une fenêtre si grande. Launa s'aperçut qu'elle était dans une bulle ou plus exactement dans un quart de bulle. Un mur noir fermait la partie opposée.

Une fois tout complété, la dame repartit et referma la porte sans la regarder et sans s'adresser à elle. Launa resta interloquée. Elle n'avait jamais vu un espace si haut. Tous les rideaux étaient comme emprisonnés dans une mince pochette en demi-lune au plafond. Assise dans son lit, elle voyait un paysage si différent de chez elle. Un paysage sans vie. Que des roches blanches et de l'eau bleue. Aucune végétation. Elle jeta un coup d'œil à gauche et fut à demi rassurée. De l'autre côté, le paysage était rocheux, parsemé d'arbres maigrichons.

Elle se leva et posa un pied au sol. Le plancher était recouvert de carreaux de céramique rouge et blanc disposés en damier. Au lieu d'être glacé et froid, le sol était chaud comme de la terre cuite chauffée au soleil en plein été. C'était une sensation bizarre et bienfaisante. Elle fit quelques pas en direction de la porte. Elle s'arrêta. L'autre côté de ce mur, y avait-il un monstre, un gardien ou rien ? Elle avait besoin de courage, de beaucoup de courage. Il fallait qu'elle aille au-delà de ce mur noir, il fallait qu'elle retrouve Frenzo, le seul qui pouvait la raccrocher à son univers. En portant sa main à son cou, elle frôla le petit pendentif en forme d'étoile et une force grandit en elle.

CHAPITRE 22

LE CONSTAT D'ÉXIR

De faibles rayons matinaux éclairaient le paysage désolant du Verger d'Or. O'Neil n'avait pas dormi de la nuit et attendait Éxir. Enfin, deux petites taches apparurent à l'horizon. Au fur et à mesure que les deux masses noires s'approchèrent, il reconnut Éxir sur son dragnard. Il était accompagné d'un autre magicien. À peine descendu de sa monture, Éxir fut estomaqué par la scène. Le piaillement des oiseaux était assourdissant et toutes ces couleurs de la forêt, changeant aussi rapidement, lui donnaient des maux de tête.

— Qu'est-il arrivé ? demanda Éxir.

— Je n'en sais trop rien, je suis parti hier à la bibliothèque et voilà ce que j'ai trouvé en revenant, quatre personnes étendues et envoûtées, répondit O'Neil.

— Est-ce un mauvais sort ? Probablement, mais il me faut la cause pour le résoudre. Hum… Aucun signe extérieur ?

— Non, pas à ma connaissance.

— Avez-vous vu un autre magicien ? demanda Landré, le compagnon d'Éxir.

— Je vous l'assure, dès que je suis arrivé, je n'ai vu que quatre personnes étendues agitant leur baguette.

O'Neil blêmit. Si Éxir n'arrivait pas à conjurer ce mauvais sort, ils étaient tous finis. Il n'avait jamais éprouvé un sentiment de découragement aussi intense. « Du courage, il me faut du courage », se dit O'Neil.

Éxir et Landré commencèrent à arpenter les lieux. Ils se penchaient au-dessus d'une des femmes étendues, puis marchaient en direction d'une autre et finalement s'arrêtaient en observant une autre. Après un court arrêt, ils recommençaient leur manège. Ils ne pouvaient expliquer leur étrange comportement. Liana avait un teint violacé et toute sa figure exprimait la souffrance d'endurer des tonnes de pierres précieuses sur elle, tandis que Zéphire était empreinte de joie et que sa baguette s'agitait en cercles. Des centaines de canaris volaient au-dessus d'elle. Rutha était entourée de roses odorantes aux parfums étourdissants. Elle avait les yeux pétillants et figés. La plus étrange parmi ces fées était Pacifida qui faisait tournoyer sans arrêt sa baguette en arabesques. Sous l'influence de ces mouvements, la végétation passait du rouge au violet, du violet au vert et du vert au rose, et ainsi de suite.

Perplexes, ils se déplaçaient d'une à l'autre. O'Neil s'attendait à ce qu'ils maîtrisent rapidement la situation. Hélas, ils semblaient déroutés. Le soleil était maintenant au-dessus de l'horizon.

— Ça suffit, hurla O'Neil. N'avez-vous pas autre chose à faire que de vous promener de l'une à l'autre ?

— J'essaie juste de me concentrer et de comprendre. Avec tous ces oiseaux qui chantent à pleins poumons, ses pierres étincelantes, ce parfum assommant et ce paysage changeant, j'en ai le tournis. Je m'efforce de trouver une réponse à ce cirque.

Soudain, O'Neil eut une vision.

— Par la barbe des dieux, pourquoi n'y ai-je pas pensé plus tôt ? s'écria-t-il en se tapant la tête.

— Quoi ? fit Éxir en s'approchant de lui.

— C'est d'une simplicité enfantine. Elles se sont envoûtées elles-mêmes.

Landré et Éxir émirent un oh de surprise. Cette explication saugrenue était à leurs yeux improbable.

— Impossible, dit Landré.

— Bien sûr que oui. Elles étaient si heureuses de faire de la magie qu'elles l'ont exercée à outrance. Avant-hier, à peine avions-nous mis les pieds sur ce sol que ma Pacifida agitait sa baguette et faisait apparaître des lapins et les autres, des robes de soie et... plein d'autres trucs.

— Je vois. Je crois bien que c'est l'explication la plus plausible. Si c'est le cas, je dois préparer la potion Rupture. Heureusement que je connais les ingrédients par cœur, dit-il en se frottant les mains. Vite, il me faut un bon feu, un chaudron, de l'eau chaude, de la camomille, des feuilles de laurier, de la guimauve et des fleurs de calendula.

Ils entrèrent dans la demeure et O'Neil s'activa. Rapidement, il réactiva le feu en jetant quelques bûches dans l'âtre et plaça un gros chaudron noir plein d'eau. Entretemps, Éxir prononça des incantations en parsemant l'eau chaude de ses fines herbes. Quelques minutes plus tard, il la filtra. Le bouillon était d'un brun verdâtre avec des reflets dorés.

— C'est beaucoup trop chaud, dit Éxir.

O'Neil remplit un autre chaudron d'eau froide. D'un mouvement rapide de baguette magique, Éxir transforma l'eau en glaçons. Il déposa la marmite chaude dans la glace et, une fois la potion tiédie, il la versa dans une gourde. À chacune des fées, il fit boire ce breuvage. La chorégraphie de baguettes cessa. D'un geste de la main, il pointa sa baguette sur le paysage et articula :

— Ordinaire.

Le paysage reprit ses couleurs végétales. Pacifida émit un soupir de soulagement. Il dirigea son bras vers les canaris. Il prononça :

— Résidence.

Les oiseaux s'envolèrent en direction de leur provenance. Zéphire lâcha une longue et profonde expiration. Vers le tas de pierres précieuses, il dit tout simplement :

— Disparition.

Les pierres disparurent de la vue d'O'Neil. Liana se remit à respirer normalement et reprit des couleurs. Enfin, il s'approcha de Rutha.

— Nectar dans la burette, articula-t-il.

Un flacon apparut dans les mains d'Éxir et les roses se liquéfièrent. Ce liquide rosâtre s'engouffra dans le flacon. Puis, les rosiers se desséchèrent et s'enfoncèrent dans le sol. Épuisée, Rutha lâcha une longue plainte de soulagement.

— Le nectar de roses, dit-il. C'est ce qu'il y a de plus précieux. Devant tant de roses, je ne pouvais m'empêcher d'en extraire avant de les expédier sous terre, dit Éxir en brandissant sa précieuse bouteille en forme de larmes.

O'Neil se précipita auprès de Pacifida. Il releva la tête de sa bien-aimée. Ses yeux demeurèrent fermés. Il la gifla. Elle ne broncha pas. Elle respirait et, pourtant, elle ne se réveillait pas. Elle semblait paralysée, incapable de se remuer.

— Elle ne bouge pas, dit O'Neil.

Il se releva et constata que les trois autres étaient dans le même état.

— Que faut-il faire ? demanda O'Neil.

— Il n'y a rien à faire. Elles sont exténuées. Il faudra de nombreux jours avant qu'elles ne s'en remettent. Au moins 40 jours.

— Quarante jours ! Mais nous n'avons pas tout ce temps ! s'écria O'Neil tout agité. Les Envahisseurs peuvent arriver d'un instant à l'autre. Et puis, j'ai une menace de mort qui flotte au-dessus de ma tête. Launa a été aspirée par un nuage avec son dragnard... et le roi m'en tient responsable et me pendra d'ici peu si je ne la retrouve pas !

— Je sais. J'ai consulté la pierre savante avant de venir. J'ai vu le nuage aspirer Launa et Frenzo. Et puis, j'ai vu le visage désemparé du roi. Je ne devrais pas dire ça... je crois pouvoir affirmer sans me tromper que le roi est atteint d'une folie subite, une faille au cerveau. C'est très grave. Les personnes touchées par cette maladie demeurent dans un état irrationnel. Ils n'en reviennent que très exceptionnellement. La faille ne pourra se réparer qu'à une seule condition, le retour de Launa.

— Mais comment faire ? Comment peut-on faire revenir Launa ? Depuis quelques jours, je ne suis plus moi-même. Je ne sais plus ce que je dois faire.

Éxir n'osait l'avouer, lui non plus ne savait plus où se mettre la tête. L'espoir qu'il nourrissait d'avoir Pacifida auprès de lui, comme professeur de plantes magiques, s'était envolé. Il voyait bien qu'O'Neil était catastrophé de voir sa femme en si piètre état, mais il n'avait aucune solution immédiate pour le consoler.

— Je me charge d'elles, dit-il en pointant sa femme et les trois autres dames. Vous n'avez pas le choix. Il vous faudra rencontrer Inféra seul.

— Elle a des pouvoirs d'ensorcellement. Je ne vois pas la raison de la rencontrer si je deviens complètement inutile.

— C'est le risque à courir, conclut Éxir. Je ne peux les soigner tout seul. Je retourne chez moi aviser Valdémor et préparer des potions de résurrection. Cette potion est tellement délicate à faire qu'à trois, nous sommes juste assez nombreux pour la préparer. Elles sont malheureusement en piteux état. Leur mort est imminente.

— Ne vous inquiétez pas. Je serai de retour dans quelques heures, lança Éxir avant de s'envoler.

Sans d'autres explications, ils enfourchèrent leur dragnard et disparurent.

O'Neil envisageait le pire. Sa douce femme était mourante. Il s'agenouilla à ses pieds et, pendant de longues minutes, il pleura. Au bout d'un certain temps, il constata que l'air était chaud et brûlant. Le soleil brillait fort. O'Neil craignait qu'elles aient des brûlures. Il les rentra une à une à l'intérieur de la maison et les borda. Son seul espoir était Éxir. Il était le plus grand magicien du pays. Sa femme Pacifida lui avait dit quelques années plus tôt que les magiciens sont des êtres étranges et solitaires. Ils aiment mieux l'observation des astres que la conversation. S'il avait eu un dragnard, il ne serait pas là à se demander quoi faire. Il les aurait suivis et les aurait questionnés jusqu'à ce qu'ils crachent plus d'informations. Pourquoi avait-il dit que leur mort était imminente ? Pourtant, elles ne paraissaient qu'endormies.

CHAPITRE 23

ESPRIT MALIN

– Mère, qu'est-ce qui arrive à père ? demanda Naura en s'éloignant de la salle à manger.

– Je n'en sais trop rien. Je crois que la disparition de Launa l'a rendu triste. Venez, ne traînons pas ! Allons à la bibliothèque. Là, nous serons en sécurité et loin de tous ses regards.

À pas de course, ils se déplacèrent. Tout le palais semblait sous alerte. Les servantes marchaient à pas feutrés. Les gardes étaient à l'écoute du moindre bruit suspect venant de l'extérieur. Ces derniers maintenaient les yeux tournés vers le ciel. Le moindre nuage était scruté et analysé. Grâce à Maggie qui avait raconté à qui mieux mieux les derniers événements, nul n'ignorait la disparition de Launa et de son dragnard Frenzo. La servante avait aussi relaté le comportement étrange du roi. Un vent de panique soufflait dans cette demeure autrefois sécurisante et charmante. Cet esprit malin, qui avait enlevé Launa et Frenzo, ferait-il d'autres victimes ? En passant devant les loges des servantes, Morina remarqua que certaines, bagages en main, se préparaient à s'esquiver. La fuite leur paraissait la seule issue logique à ce roi au cerveau dérangé et à ces lieux où planait un esprit malfaisant.

— Ma douce maman, ne pouvez-vous pas faire quelque chose ? demanda Éloy en pleurnichant et en trottinant à fond de train derrière sa mère. Papa me fait peur. Il est si différent.

— Je crois que je ne le puis. J'ai des pouvoirs pour guérir des pattes cassées, déplacer des objets, me faciliter certaines tâches, toutefois certaines me sont impossibles. Je ne peux l'empêcher d'aimer trop Launa et d'être violent, aucune potion n'a ce pouvoir. Votre père est inconsolable depuis la disparition de sa princesse. Il a perdu la tête et vos vies sont en danger. Je ne vois qu'une alternative : vous devez partir et vous réfugier ailleurs.

– Où, mère? demanda Naura haletante.

Autour d'eux, ils ne voyaient que des visages inquiets et suspicieux. Un chat, sûrement affamé, miaula tout près d'eux. Les soldats accoururent à grands bruits en sa direction. Le chat se cacha derrière une colonne en voyant tant d'hommes bondissant vers lui. Naura s'arrêta, prête à sauver cette pauvre bête. Morina arriva vis-à-vis la porte de la bibliothèque de Mysriak et vit les gardes encercler ce malheureux chat. Elle l'ouvrit discrètement et fit signe à ses enfants d'entrer en douce. Naura fixa du regard les soldats. Son cœur battait la chamade. Elle attendait le dénouement de cette confrontation. Heureusement, un soldat leva le bras en signe de laisser-faire et le chat s'enfuit à vive allure. Enfin, sa fille se retourna et courut vers elle. Une fois à l'intérieur, Morina ferma la porte.

– Il ne faut pas discuter devant nos serviteurs et nos gardes. Nous ne pouvons faire confiance à personne. Vous devez fuir. Le plus tôt sera le mieux.

— Chez Idrex, suggéra Éloy.

— Malheureusement ! Ce n'est pas assez loin, répondit sa mère.

Morina s'assit et ses deux enfants prirent chacun un siège à côté d'elle.

— Chez les Dagibold, proposa Naura.

— Hélas ! Ton père a l'idée de tous les tuer et de te tuer.

— Ne pourrais-je les avertir ? demanda Naura.

— Je crois que ce serait là une excellente initiative. Mais, toi qui n'as jamais volé, comment penses-tu t'y prendre ?

— C'est vrai, s'attrista Naura.

— Moi, je sais comment voler et comment m'y rendre, dit fièrement Éloy.

Naura soupira bruyamment. Elle regrettait d'avoir toujours refusé de monter de si jolies bêtes. Elle caressa son Bichou.

— Naura, ne sois pas triste ! Je peux t'enseigner l'apprentissage du vol à distance. Je te soufflerai quoi faire. Même si tu n'as jamais enfourché un dragnard, tu verras, c'est beaucoup plus facile que tu ne le crois. Ce sont des bêtes magnifiques qui adorent voler. Parfois, elles oublient que nous sommes sur eux et font des pirouettes très dangereuses. Tu n'as qu'à caresser leur cou pour qu'elles se souviennent que tu es là, sur eux à califourchon.

— Mère, vous feriez ça pour moi? s'exclama Naura pleine de joie.

— Bien sûr, ma chère enfant, dit Morina en lissant les cheveux de sa fille. Tu tires doucement à gauche sur les courroies pour tourner à gauche.

— Tu tires à droite pour tourner à droite, dit Éloy. Juste un petit coup de pied pour monter et deux pour descendre. Tu vois, ce n'est pas compliqué.

Ils s'embrassèrent et Bichou émit une douce plainte. Éloy vint se blottir entre sa mère et Naura. Morina se redressa et essuya ses larmes. Un tapage à l'extérieur les fit sursauter. Dans le corridor, les gens courraient dans tous les sens. « Pourquoi tout ce bruit ? » se demandait Morina. Le roi les cherchait-il? Il fallait faire vite. Une seule place était vraiment sécuritaire, c'était à l'autre bout du pays, dans l'antre d'Inféra. Mais depuis de nombreuses années, personne ne l'avait visitée. Un sort la confinait dans son refuge, loin de tous. Elle était tenue prisonnière à l'écart du monde. Zéphire, la plus vieille des fées du pays, lui avait conté l'histoire du sortilège d'Inféra, à l'époque où elle vivait avec elle.

— Une fois chez les Dagibold, ne traînez pas. Vous devez repartir. Un seul endroit est demeuré protégé. Chez Inféra. Plus tôt vous y serez, mieux ce sera.

Inféra ne disait rien à Naura ni à Éloy. Morina prit un livre dans la bibliothèque. Il était écrit en langue dragon-fée. Une copie identique existait à la bibliothèque de Wadyslaw. Morina savait le lire et l'avait lu plusieurs fois. Le livre donnait beaucoup de détails sur sa naissance et sur les précautions prises pour qu'aucun ennemi ne s'empare d'Inféra. Personne ne pouvait s'approcher d'elle. Elle avait le pouvoir de les transformer en zombie d'un simple regard. D'un coup de baguette, elle fit un duplicata traduit et le remit à Naura.

— Garde-le précieusement sur toi. Je vais vous expliquer comment vous y rendre et les précautions à prendre, murmura- t-elle.

Elle craignait qu'à tout moment on pénètre dans la salle et que le roi les enferme dans une des salles du palais, ou pire, au donjon, un lieu sombre et sale, plein de rats.

Les heures qui suivirent furent les plus instructives pour Éloy et Naura. Ils étaient étonnés d'apprendre qu'Inféra était une fée pouvant se transformer en dragon. Elle les avertit du pouvoir ensorcelant d'Inféra et comment se protéger de ce pouvoir en ne la regardant jamais dans les yeux, à moins que ce sort ne lui soit enlevé. Ils étaient fiers d'avoir une maman si extraordinaire. Malheureusement, elle ne pouvait les suivre. Son devoir lui commandait de rester auprès de son mari et, peut-être, de l'empêcher de faire trop de dégâts. La tristesse du roi était telle qu'il risquait de s'emporter et d'accomplir des gestes irréfléchis et graves. Son seul espoir pour un retour à la paix d'antan était le retour de Launa dans les plus brefs délais. Oui, sa place était ici, auprès de son mari et ainsi, elle pourrait éviter que Wilbras V commette l'irréparable. Il était déjà midi, l'horloge de la grande salle intérieure sonnait.

— Mes enfants, il faut rejoindre votre père pour le déjeuner.

— Ne pourrions-nous pas sauter un repas ?

— Non, je crois que cela ne le rende encore plus furieux. Allons-y et après, ce sera le départ.

✣ ✣ ✣

Ils prirent le repas familial avec leur père comme à l'accoutumée en prenant soin de ne rien laisser paraître. Le souverain était toujours d'humeur exécrable. Même Junior, l'oublié de la famille devenu soudainement le numéro un, se tenait tranquille. Certes, il était heureux de la confiance démontrée par son père et il ne voulait surtout pas le décevoir. Il avait l'intention de bien s'acquitter de ses nouvelles fonctions.

Naura, quant à elle, faisait de gros yeux à son frère. Elle aurait préféré qu'il se prononce violemment contre cette affectation. Elle n'arrivait pas à prendre une bouchée. L'idée de la possibilité d'être pendue, avec les membres de la famille Dagibold, la fit frémir. Comment un père si bon s'était-il transformé en monstre en si peu d'heures ? Heureusement que sa mère et le benjamin ne la laissaient pas tomber. Le calme de sa mère la rassurait et elle entrevoyait les jours suivants avec un certain optimisme.

Assis à la table, tous prenaient un soin particulier à soulever les ustensiles sans bruit. Éloy déchira un morceau de pain avec une telle lenteur que le roi le fixa durement.

Toutes ces précautions l'agacèrent. D'un solide coup de poing, il frappa la table et s'écria :

– Qu'est-ce que vous avez tous à me regarder comme ça avec vos gros yeux de poisson ?

– Rien d'anormal, père, nous mangeons, répondit Naura.

– Tous, vous avez compris, tous, fichez-moi la paix ! Je vous ordonne de quitter la salle et surtout, je ne veux plus vous voir à moins de m'annoncer une bonne nouvelle.

Morina, Naura et Éloy ne se firent pas prier et quittèrent sur-le-champ.

– Même moi ? demanda Wilbras VI.

– Quoi ? Tu es là à manger sous mon toit quand Launa est entre les mains d'un esprit malfaisant. Si je n'ai pas un quelconque résultat d'ici sept jours, toi aussi, tu seras pendu. Mais, avant toute chose, retrouve-moi les Dagibold, hurla-t-il, ces êtres ignobles !

Wilbras VI blêmit. Il n'en croyait pas ses oreilles. C'est à ce moment-là qu'il comprit toute la gravité de la folie de son père. Depuis la disparition de sa fille bien-aimée, toute vie humaine avait perdu son importance. Seul le retour de Launa l'intéressait. Wilbras VI compris qu'il était, lui aussi, dans le pétrin. Sa belle confiance, à peine acquise depuis quelques heures, venait de s'envoler. D'ici sept jours, si Launa n'était pas revenue ou retrouvée, son corps se balancerait au bout d'une corde. Il se leva et laissa le roi seul.

Dans la chambre de Naura, les préparatifs de départ n'allaient pas très bien. Éloy arriva avec une menue valise. Morina approuva son choix. Pour Naura, c'était autre chose. Elle s'était emparée de ses plus belles robes et les empilait dans une malle. Morina les enlevait de la malle au fur et à mesure que Naura les plaçait.

— N'apporte que l'essentiel, répétait Morina. Ces vêtements sont inutiles. Tu devrais faire comme Éloy. Te contenter d'une simple valise et n'y mettre que des vêtements de voyage comme des tuniques, des jupes et des bénards.

— Je sais, mère, mais j'ai de la difficulté à quitter les lieux sans mes robes d'apparat.

— Crois-moi, là où tu vas, tu n'en auras pas besoin. Il faut filer en douce. Je ne veux pas que ton père ni même Junior vous voient désertant les lieux. Votre paternel ne sait plus ce qu'il dit et je crois bien qu'il ne sait plus ce qu'il fait.

Naura soupira et renonça à la malle. Elle prit une valise qu'elle remplit de vêtements légers pour la route et la déposa au sol à côté de celle d'Éloy. Morina lui remit une chaînette décorée d'un pendule.

— Porte-le sur toi en tout temps, Naura. Le pendule est enchanté. Tant que tu l'auras à ton cou, il te guidera et je saurai où tu es.

— Merci mère, dit Naura en sanglotant et en la serrant très fort.

Le départ approchait. Naura, vêtue d'une tunique et de chausses en fine laine et des houseaux en cuir de chevreau, fit un sac de fortune pour transporter Bichou. Elle prit une grande toile de lin et noua les deux bouts opposés. Elle glissa la toile en bandoulière au-dessus de sa tête. Elle y enfouit Bichou. Il émit un son de contentement.

— C'est mon porte-bonheur, dit-elle. Je ne peux le laisser ici.

Morina approuva. Bichou se coucha au fond de ce sac, serein et heureux. La reine prit la parole et leur expliqua que, pour le bien de la famille Dagibold, ils devaient se rendre chez eux et quitter le manoir dès que possible pour se réfugier chez la seule personne capable de retrouver Launa et de ramener la paix, c'est-à-dire Inféra. Elle répéta plusieurs fois qu'Inféra était ensorcelée. Personne ne devait la regarder dans les yeux.

— Vous devez ne regarder que ses pieds et vous protéger le visage avec un mouchoir, à moins qu'un magicien n'ait enlevé son sort. Et dites-le bien à la famille Dagibold.

— Mais qui lui a jeté ce sort ? demanda Éloy.

— Je n'en sais trop rien, répondit Morina. Ça remonte à très loin.

Elle prit un parchemin vierge et une plume. Elle traça une carte en indiquant les lieux les plus significatifs : les montagnes, le château Mysriak, le lac Cristal, le manoir Dagibold et enfin, l'antre d'Inféra tout au bas de la carte du côté ouest.

Naura appréhendait d'enfourcher un dragnard même si sa mère l'avait convaincue, quelques heures plus tôt, que c'était relativement simple. Elle ne voulait pas l'avouer. Elle avait peur. Elle n'avait jamais grimpé dans une échelle. Aurait-elle le vertige ? Risquait-elle de tomber ? Les dragnards volaient si haut. À cette hauteur, c'est sûr qu'elle aurait des étourdissements.

– Ne sois pas inquiète ! Tu prendras Féerie, mon dragnard. Elle vole avec aisance et elle ne fera pas de folies. C'est la plus docile des dragnards royaux et elle sait comment se rendre chez les Dagibold. Elle peut le faire les yeux fermés. Je suis allée tellement souvent visiter ma très grande amie Pacifida avant d'avoir des enfants. Comme c'est loin tout ça ! soupira la reine. Pacifida, comme j'aimerais t'enlacer !

Elle prit un grand foulard bleu royal et le déposa sur les épaules de Naura.

– N'oublie pas de le porter. Là-haut, l'air est froid et pénétrant. Crois-moi, tu en auras besoin.

CHAPITRE 24

LE DÉPART

L'après-midi avait passé à la vitesse de l'éclair. Il commençait à faire sombre. Les adieux ne pouvaient s'éterniser davantage. Il y avait tellement de va-et-vient au château qu'ils craignaient, d'une minute à l'autre, que les gardes ne pénètrent dans la chambre de Naura.

— Je crois que c'est le temps parfait pour partir. D'ici trois heures, vous aurez atteint le manoir. N'oubliez pas ! Il vous faudra quitter les lieux au petit matin et vous diriger chez Inféra, répétait-elle une énième fois en remettant la carte à Naura. Tu verras Naura, du haut des airs, tu sentiras le vent dans tes cheveux et tu te colleras la tête contre la douce fourrure de Féerie. Tu verras. C'est extraordinaire ! Le froid de l'air et la chaleur de ton dragnard.

Ce furent, encore une fois, des larmes et des enlacements. Morina leur souhaita un bon voyage. Juste comme ils s'apprêtaient à filer, la porte s'ouvrit d'elle-même. Wilbras VI entra avec quatre de ses hommes sans s'annoncer. Morina eut juste le temps de prononcer des mots magiques qui les rendirent invisibles. Wilbras VI regarda la chambre de Naura. Elle était vide. Pourtant, il eut l'impression de tous les avoir vus quelques secondes en entrouvrant la porte. Il y avait une grosse malle, pleine de belles robes sur son lit, et deux autres valises au sol. Il chercha derrière les rideaux et dans les placards. Personne. Ils avaient disparu. Il crut qu'il y avait peut-être une porte secrète au fond d'un de ses placards et qu'ils s'étaient tous enfuis par cette porte. Mais non, pas de porte secrète, pas de Morina, pas de Naura et encore moins d'Éloy.

— Quoi, elle s'apprête à partir sans me le dire ? Hé bien, c'est ce que nous verrons ! murmura-t-il.

Les soldats, après avoir regardé sous le lit et derrière les commodes, s'alignèrent docilement près de la porte. Wilbras VI jeta un dernier regard circulaire. Il fixa la grosse valise. Il sourit avec méchanceté. Il s'empara de son épée et, à grands coups de son arme, il déchiqueta les robes de Naura contenues dans la valise.

– Si elle pense s'enfuir avec son attirail, hé bien, elle se contentera de bouts de tissus fit-il d'un rire méchant.

– Gardes, courons vers l'écurie et saisissez-vous de ma sœur et de mon frère avant qu'ils ne prennent la clé des champs ! s'écria Wilbras VI. Nous allons les emmener au donjon. Certes, il n'a pas servi depuis de nombreuses années, je crains que les lieux ne soient pas des plus accueillants pour mon frère et ma sœur, s'écria-t-il en s'esclaffant de plus belle.

Il quitta la pièce sans refermer la porte. Lorsque le calme fut revenu, Morina, Naura et Éloy réapparurent. Morina fit tournoyer sa baguette dans les airs et émit un sortilège qui se termina par un bruit sourd. Dès lors, un silence inquiétant enveloppa les lieux.

– Le temps est arrêté pour tous, sauf pour nous, dit Morina. Vite, courez à l'écurie.

Une fois là, le temps reprendra son cours. Junior n'aura que quelques minutes de retard sur vous.

Naura souleva une de ses robes. Ce n'étaient que des lambeaux. Wilbras VI, sans le vouloir, lui avait facilité la tâche. Elle n'avait plus le choix. Elle prit la valise au sol. Puis, ce fut encore des enlacements et des pleurs. Morina se raidit.

— Vous devez quitter les lieux. Je ne puis maintenir cet arrêt de temps encore bien longtemps.

— Non, mère, c'est impossible. Je vous aime trop, dit Naura. Je ne peux vous laisser.

— Moi, aussi, ajouta Éloy.

— Pourquoi, mère, vous ne nous accompagnez pas ? demanda Naura.

— Oui, mère, venez avec nous ! Je vous en supplie, mère chérie.

— Ma place est ici. Votre père est si confus que je crains qu'il ne fasse de grandes bêtises.

Ils enveloppèrent leur mère de leurs bras. Elle dut les gifler. Cette fois-ci, Naura et Éloy comprirent l'urgence de partir et ils se pressèrent. Ils se précipitèrent dans le long corridor devenu horriblement calme. Les gens étaient tous figés. Certains étaient suspendus dans l'air, un bras tendu et un pied en avant de l'autre comme dans un mouvement de course. Il fallait qu'ils atteignent l'écurie avant que le temps ne reprenne son cours. Naura et Éloy couraient sur un sol dur et pourtant, aucun son ne se faisait entendre. Cette pause était affreuse et à la fois sécurisante.

Ils galopèrent à perdre haleine. Naura comprit l'avantage d'une petite valise. Jamais, elle n'aurait pu parcourir autant de mètres en si peu de temps avec une grosse malle. Tenant fermement d'une main sa valise et avec l'autre supportant Bichou, elle trébucha sur une grosse roche à l'extérieur du château. Elle ressentit une douleur aiguë au genou. Impossible de se relever. La douleur était trop cuisante. Elle vit Éloy de plus en plus loin. Elle lui cria de l'attendre, mais sa voix se perdit. Elle comprit qu'il ne l'entendait pas. Elle se releva avec peine et repartit à courir en clopinant. Elle se mordit la lèvre pour endurer son genou douloureux.

Dès qu'elle atteignit l'écurie, le bruit du vent, des animaux et des soldats en déplacement se fit entendre. Affolée, elle chercha Éloy. Il était derrière un mur et elle fut heureuse de constater qu'il n'avait pas chômé.

Les deux dragnards étaient prêts. Elle enfourcha le sien avec difficulté et aperçut avec horreur son genou ensanglanté. Elle n'avait pas le temps de s'apitoyer sur son sort.

Elle jeta un œil vers Éloy. Elle le vit agripper le cou de son dragnard et prendre un élan. Elle fit de même. Féerie s'inclina. Naura sentit sa force. Elle frémit de peur. Elle se colla le visage contre le cou de Féerie. La pression contre le dragnard lui rappela la présence de Bichou. Elle dégageait une douce chaleur qui lui fit du bien.

Juste avant de partir, ils entendirent les jurons de leur père qui les recherchait. Ils s'envolèrent le cœur gros. Le ciel était sombre et sans lune. Ainsi, personne ne les verrait partir. Des larmes coulèrent le long des joues de Naura. Elle embrassa sa main et souffla l'air au-dessus comme pour envoyer un dernier baiser à sa mère.

En quelques battements d'ailes, Féerie s'éleva dans le ciel. Toujours la tête dans la douce fourrure de Féerie, Naura réalisa que le décollage avait été merveilleux. La sensation d'être aussi légère qu'une plume la ravit. Elle émit un petit rire de satisfaction. Naura jeta un œil derrière elle. Elle vit le château partiellement illuminé. Elle imagina son père les traquant. Elle avait peine à croire qu'elle avait quitté le château paternel. Reviendrait-elle un jour chez elle ? Sa nostalgie fut de courte durée. Féerie s'inclina vers la gauche sans qu'elle n'ait fait un geste. Elle glissa de sa selle. Elle dut se repositionner et se concentrer sur les manœuvres de Féerie. Elle comprit que sa mère guidait le dragnard. Elle entendit sa mère lui murmurer à l'oreille :

— Accroche-toi bien, Naura.

Ces paroles eurent un effet apaisant. Naura sourit et se dit : « Oui, mère, je vous entends et je m'accroche. »

Melvin et Éloïse se faisaient du mauvais sang et ne dormaient pas. Sur l'heure du midi, ils avaient noté l'absence d'Andrick. Tard dans la nuit, ils perçurent des battements de dragnards. Croyant qu'il revenait au bercail, ils se levèrent et se précipitèrent à l'extérieur. Deux dragnards volaient au-dessus de leur manoir. Quelle ne fut pas leur surprise lorsqu'ils reconnurent Naura et Éloy au lieu d'Andrick. Dès que Féerie posa les pieds au sol, Naura se laissa glisser sur le côté et courut vers Melvin. Elle cria :

— Un grand malheur vient d'arriver !

Puis elle s'effondra dans les bras de Melvin. Il la souleva. Il remarqua sa jambe ensanglantée. Il eut un pincement au cœur pour sa douce. Sa bien-aimée était blessée. La nuit était plutôt fraîche. Éloïse frissonnait dans sa robe de nuit.

— Rentrons ! Il fait un froid de canard, dit Éloïse.

Éloy ne se fit pas prier. Il prit sa valise. Melvin, encore sous le choc de serrer sa bien-aimée, embrassa Naura. Elle ouvrit les yeux et se sentit immédiatement rassurée. Elle fit signe de la déposer au sol. Elle paraissait plus solide sur ses pieds. De sa main droite, elle pointa Féerie.

— Mes bagages, dit-elle faiblement.

Melvin alla vers son dragnard. Il prit la valise et retira la selle. Naura détacha la sacoche accrochée à la selle. Elle contenait la carte et le livre. Tous les quatre entrèrent. À l'éclairage, Éloïse remarqua les traits tirés des visiteurs et la blessure de Naura. Elle lui appliqua de l'eau guérisseuse et lui fit un pansement. Éloïse demanda la raison de sa visite.

— Un grand malheur s'est abattu. Il nous faut partir le plus tôt possible, dit-elle d'une voix affolée et en serrant Bichou. Mon père est devenu subitement… fou… et mon frère subitement… méchant. Il est en ce moment à notre recherche.

— Il est tellement tard, répondit Éloïse. Je ne crois pas que ton frère quittera les lieux ce soir. Alors, pourquoi ne pas se reposer et discuter de tout cela demain. Nous aussi nous avons quelques inquiétudes.

— Ah!

— Andrick a disparu, dit Éloïse.

— Lui aussi.

— Aussi?

— Launa est disparue et mon père est devenu déraisonnable.

Éloy n'écoutait plus. Il s'était endormi. Sa tête reposait sur la table de la cuisine et Naura sentit le sommeil l'envahir sous l'effet de la chaleur bienfaisante chez les Dagibold. Constatant leur fatigue, Éloïse proposa à nouveau de se coucher. Elle et son frère pouvaient prendre le lit de la chambre de ses parents. Naura acquiesça et elle réveilla Éloy. Il releva la tête. Tous suivirent Éloïse à l'étage. Melvin, de son côté, revêtit un manteau et rentra les deux dragnards à l'écurie.

Malgré l'heure tardive, il prit le temps d'enlever leur attelage, de les brosser et de les nourrir.

Au petit matin, Éloïse remarqua que Nina était frissonnante. Elle lui appliqua de l'eau guérisseuse sur le front et descendit à la cuisine lui préparer une tisane à la menthe. En revenant vers elle, elle observa qu'elle était toujours aussi agitée et grelottante. Elle essaya de la soulager en la couvrant d'une autre couverture de laine. Elle descendit de nouveau à la cuisine. Melvin, Éloy et Naura étaient assis à la table et causaient en attendant Nina et Éloïse.

— Je ne sais pas ce qui se passe. Nina a de la fièvre et elle souffre. Pourtant, hier, elle allait parfaitement bien.

— Une grippe, je suppose, soupçonna Melvin.

— Non, elle marmonne et frissonne. De temps en temps, elle a chaud, puis elle a froid. Ce matin, ses mains et ses lèvres étaient bleues. J'ai beau lui mettre des draps et des draps, rien ne semble la réchauffer. Ça semble plus sérieux qu'une grippe.

– Pourtant, nous n'avons pas le choix. D'après Naura, il faut quitter les lieux dès que possible, informa Melvin. Son frère est à nos trousses et le roi a condamné toute notre famille.

– Comment ça ? Notre bon roi si généreux ne permettrait pas une telle chose, c'est impossible !

– Si, hélas ! mon père si aimé a donné comme mission à Junior, répondit Naura, de retrouver ton père et tous les membres de ta famille pour vous amener au château et vous pendre au vu et au su de tous.

– Mais pourquoi ? demanda Éloïse horrifiée.

– Parce que Launa s'est volatilisée, hoqueta Naura. Elle et son dragnard... Un esprit malfaisant les a enlevés... Un esprit qui a l'aspect d'un nuage noir ou quelque chose comme ça... Ton père a été chargé de la retrouver et... comme ton père ne l'a pas retrouvée, mon père lui en veut à mort.

– Toute la famille Dagibold et même moi, dit Naura en sanglotant de plus belle, sommes pourchassées par mon frère. Je suis ici sous le conseil de ma mère de vous prévenir que nous devons nous réfugier chez Inféra... Sinon... nous périrons tous.

Éloïse demeurait incrédule. Elle était incapable d'assimiler tant de changements en si peu de temps.

— Comment ça, nous devons partir ? demanda Éloïse à Naura.

— Nous n'avons pas le choix, renchérit Melvin.

— Mais Nina ne semble pas aller du tout. Nous ne pouvons la déplacer. Elle est trop souffrante.

— Il le faudra, admit Melvin à contrecœur.

— Et, où est Andrick ? demanda Éloy qui était jusqu'à maintenant demeuré silencieux.

— Ça, nous l'ignorons, répondit Éloïse. Melvin et moi avons pensé partir à sa recherche, mais où ? C'est sûrement cette histoire de dragon qui l'a attiré. Il est parti, hier matin, sans nous le dire. Depuis ce temps, nous sommes, hélas, sans nouvelles de lui !

— Dieu du ciel ! Est-ce que lui aussi aurait été enlevé par cet esprit ? se demanda Naura.

Personne n'avait pensé à cette éventualité.

— C'est possible, admit Melvin.

Cette idée, que cet esprit maléfique pouvait à tout moment les enlever, les fit bouger. Ils ne prirent qu'une heure pour se préparer. Puis, Melvin enveloppa et attacha solidement Nina à Orphée. Ils s'envolèrent à regret en laissant derrière eux la maison qu'ils chérissaient et la plupart de leurs effets personnels. À la suggestion de Naura, ils n'avaient pris que l'essentiel.

CHAPITRE 25

LA DÉCEPTION

À l'aube, Andrick se réveilla. Frivole était au-dessus de lui et le réchauffait. D'affreuses souffrances lui parcouraient tout le corps. Il tenta de se dégager de Frivole et de se lever. Peine perdue, une douleur fulgurante l'assaillit. Il remarqua sa chemise en loques et couverte de sang séché. Ses bras avaient de profondes lacérations. Il passa sa main au visage et il sentit une vive sensation aiguë et lancinante. Il examina plus longuement ses blessures. À plusieurs endroits, il avait de vilaines enflures. Il s'estimait heureux d'avoir survécu à cette chute. Frivole souleva le baluchon et le déposa à ses pieds. Il lui fit signe de la tête de le prendre. Andrick se souvint de l'eau guérisseuse qu'il avait en grande quantité. Il s'étira pour le saisir. Il hurla. Un élancement subit lui cisaillait tout le corps. Il rampa jusqu'au baluchon en grimaçant de douleur.

Tremblotant, il saisit le flacon d'eau. Avec douceur, il s'en appliqua à profusion au visage, sur les bras et à la cheville. Il sentit rayonner un effet bienfaisant dans tout son corps. Cette sensation de bien-être le fit sommeiller.

Beaucoup plus tard, il se réveilla et constata avec soulagement qu'il était complètement rétabli. Il se leva et scruta les lieux. « Quel dommage que l'eau de Cristal ne répare pas les tissus », se dit-il. Sa chemise et ses pantalons étaient en lambeaux et sales. Des traces de sang et de boue bigarraient ses vêtements.

La forêt était si dense que les rayons solaires parvenaient à peine à transpercer ce couvert végétal, de même qu'il était impossible pour Frivole de déployer ses ailes. Malgré ce clair-obscur, Andrick vit Frivole se dresser sur ses pattes de derrière et se mettre dans une drôle de position. On aurait dit que ses pattes d'avant s'appuyaient sur une surface verticale et pourtant, Andrick ne voyait rien qui puisse ressembler à un mur ou à un appui. Il mit ses mains au même endroit et enregistra qu'il y avait bien une résistance, un matériel lisse et courbe, invisible à l'œil, qui s'étendait sur plusieurs mètres en largeur et qui descendait jusqu'au sol. Intrigué, il donna un coup de pied et le regretta.

– Aïe, s'écria-t-il. Qu'est-ce que c'est? On dirait une muraille invisible.

Frivole acquiesça en hennissant à plusieurs reprises. Soudain, Andrick comprit ce qu'il lui était arrivé. Ce mur, imperceptible pour un humain, s'élevait très haut dans le ciel. Frivole l'avait perçu et avait fait un arrêt spectaculaire pour éviter une collision mortelle. Par malheur, cet arrêt subit l'avait fait tomber de sa selle. D'un côté, il y avait cette muraille infranchissable et de l'autre, cette forêt. Il n'avait pas le choix. Ils devaient marcher le long de ce mur jusqu'à ce qu'ils atteignent une clairière. De là, il pourrait de nouveau s'envoler avec Frivole.

Tout en longeant ce mur, il réfléchissait. Serait-il arrivé à l'antre d'Inféra? Ce mur invisible, était-ce les cloisons extérieures du repaire ? « Bien sûr que oui. Ça ne peut être que ça », se dit-il.

— Frivole, nous y sommes.

Frivole hennit et s'aplatit de tout son long en secouant la tête de gauche à droite. C'était sa façon bien à lui d'indiquer qu'il ne comprenait pas. Ce comportement faisait toujours rire Andrick. Il s'approcha de lui et lui caressa le museau.

— Nous venons de trouver le lieu où vit Inféra. Il faut juste trouver l'entrée.

Frivole se releva d'un bon et hennit de joie à plusieurs reprises. Ce n'est qu'une demi-heure plus tard qu'Andrick trouva un indice : une pancarte tordue par le temps, toute petite et pleine de moisissures. L'écriture était presque indéchiffrable.

— Nul ne… peut ni ne doit fra… fran… cir… franchir les lini… limites de cette pon… car… pancarte sous… pei… ne de mort, lut lentement Andrick à voix haute.

Bizarre, cette pancarte était dans un endroit insolite. Le boisé était moins dense, mais il n'y avait toujours pas de résidence ou de palais à l'horizon, ni ligne au sol ou clôture délimitant un emplacement

— Je me demande qu'est-ce qu'il peut bien m'arriver si je vais au-delà de cette pancarte ? se demanda Andrick.

Il marcha dans cette direction. Un vent s'éleva et une voix froide et sévère se fit entendre :

— Vous risquez la mort.

Elle n'impressionna nullement Andrick. Il fit un autre pas en avant. C'est alors qu'un solide rugissement le fit tressaillir. La voix reprit :

— Rebroussez votre chemin, c'est votre dernière chance de rester vivant. Ne faites pas un pas de plus, car la foudre s'abattra sur vous.

Encore une fois, Andrick resta indifférent à cette mise à garde. Avec désinvolture, il s'adressa à Frivole :

— Frivole, si tu entends des voix, dis-le-moi, car tu le sais, je suis sourd.

Frivole fit une drôle de tête. Jouait-il la comédie ou était-ce vrai ? La chute lui avait peut-être sonné le cerveau. Frivole admit qu'il devait y avoir un fond de vérité. Après tout, il avait fait toute une dégringolade. Frivole hennit et posa une patte sur son épaule pour le retenir.

Andrick se retourna et lui demanda :

– Qu'y a-t-il Frivole ?

Du mieux qu'il put, Frivole exprima un danger.

– Quoi ? revendiqua Andrick, qu'y a-t-il ? N'est-ce pas une jolie forêt ?

Sur ces mots, il fit demi-tour et continua de marcher dépassant de plusieurs mètres l'emplacement de la pancarte. Derrière un arbre, une jeune femme voilée se manifesta devant lui. Elle était toute menue et portait une longue tunique rouge bordée de rubans dorés. Elle était à peine plus grande que lui. Au cou, elle portait une breloque étrange en or qui pendouillait à une fine chaîne dorée. On aurait dit une pointe brisée d'une étoile. « Pourquoi porte-t-elle un bijou cassé et incomplet ? » pensa Andrick.

– Qui êtes-vous, belle dame ? lui demanda-t-il, surpris de trouver une femme si fragile au cœur d'une forêt si sombre.

– D'abord vous, jeune sire.

Sa voix était mélodieuse et satirique. Ce n'était donc pas elle qui lui avait ordonné de rebrousser chemin.

– Je suis Andrick Dagibold du royaume de Mysriak, fit-il en s'inclinant.

— Qu'est-il arrivé ? Vos vêtements sont pitoyables.

— Rien qu'une mauvaise chute.

— Et l'autre ? Derrière toi ?

— L'autre ! C'est mon dragnard... Frivole, répondit-il étonné par cette question.

— Est-il dangereux ?

— Ah non ! C'est un gentil animal. Venez ! Touchez à sa fourrure. Elle est douce et, en plus, il peut voler.

Elle s'approcha tout doucement à petits pas. Elle semblait encore plus frêle et sans défense. Andrick trouva curieux qu'elle tienne son voile si fermement. Impossible de voir son visage et encore moins ses yeux. Lorsqu'elle fut près de lui, Andrick sentit un parfum de pommes et de cannelle. Une odeur réconfortante. Avant même qu'elle ne pose sa main sur la douce fourrure de Frivole, elle fit demi-tour.

— Mais, vous n'êtes pas sourd ? s'écria la belle.

— Non, et vous n'avez pas cette voix méchante et effrayante.

Elle rit. Elle dut reconnaître qu'Andrick était un charmant jeune homme n'ayant aucune malice, malgré que ses vêtements soient souillés et déchirés.

— Je sais. Je vis seule depuis bien des années et je suis devenue sauvageonne.

Andrick fit un signe de dénégation. Elle avait une démarche royale et une prononciation agréable, elle était loin d'avoir l'aspect d'une sauvageonne.

— C'est Picou qui a cette voix à faire peur, dit-elle.

Elle le sortit de sa poche. C'est un gros rat blanc. Aussitôt que Frivole le vit, il hennit à répétitions et se lécha les babines. Il voyait là un petit animal bien dodu, un hors-d'œuvre de qualité. Picou, apeuré, se réfugia sur l'épaule de la belle, sous le voile. Elle le reprit et le remit dans sa poche.

— Il ne faudrait pas que Frivole lui fasse du mal, c'est mon compagnon de longue date.

— Tu as entendu, Frivole, Picou n'est pas à manger. C'est l'ami de… au fait, vous n'avez toujours pas dit votre nom ?

— Mon nom est Inféra.

Était-ce possible ? Andrick s'était imaginé un dragon de grande envergure aux écailles de poisson, et voilà qu'il était devant une jeune femme fragile, qui avait comme compagnon un rat. Les bras lui tombèrent. Tout ce voyage pour en arriver là. Tout le monde lui avait menti à commencer par son père et sa mère. Il ne se voyait pas chevaucher cette jolie dame délicate. Quelque chose clochait.

— Qu'y a-t-il ? demanda Inféra.

— Je n'en sais trop rien. Je m'attendais à autre chose. On m'a dit que… enfin…

— Quoi ?

— Oubliez ça, j'ai dû mal comprendre.

— Venez, l'entrée est par là.

Andrick et Frivole la suivirent. Ils eurent l'impression de passer au travers de ce mur invisible et d'être à l'intérieur d'un vaste espace fermé. Tout était calme et sombre. Pas de vent. Aucun arbre. Aucun chant d'oiseau. Ils étaient au centre d'une clairière sans vie et sans lumière. Elle fit claquer ses doigts et des milliers de billes brillantes éclairèrent l'endroit.

CHAPITRE 26

DE L'AUTRE CÔTÉ DU MUR

Launa s'approcha de la fenêtre. Elle appuya ses mains sur le verre courbé. Elle n'avait jamais vu du verre, encore moins un verre courbé de si grande envergure. Par temps froid, les ouvertures étaient barricadées et par jours ensoleillés, de minces filets lumineux parvenaient à pénétrer à l'intérieur. La pièce où elle se tenait semblait flotter au-dessus d'une falaise. Du haut du ciel, le soleil dardait ses rayons sur un paysage aride. Elle ne voyait rien d'autre que des rochers et des arbres maigrichons. La faim la tenaillait. Elle parcourut des yeux cette chambre dépouillée. Il n'y avait qu'un lit, un banc et ce mur noir ayant en son centre une porte.

Elle devait bien conduire quelque part. Launa s'approcha. « Peut-être Frenzo est de l'autre côté ? » se dit-elle. Elle tourna la poignée. Elle n'était pas verrouillée. Elle prit une grande respiration et poussa la porte avec délicatesse.

Un court corridor tout en verre transparent lui apparut, même le plancher était en verre. Il y avait bien une autre porte noire au loin, mais ce plancher translucide l'effrayait. Hésitante, elle posa un pied sur cette plaque. Contrairement à ce qu'elle pensait, le plancher dégageait de la chaleur. À quelques mètres de ses pieds, un paysage verdoyant s'étendait. Elle continua sa marche, un pas à la fois. Elle craignait qu'il ne cède sous son poids comme le ferait une glace mince. Elle glissait un pied et puis l'autre sur cette surface lisse et douce. Au milieu du parcours, elle vit une chute d'eau abrupte directement située en-dessous d'elle. Elle éprouva un léger vertige. Elle releva la tête. D'un côté, des rochers blancs et l'océan et de l'autre, des arbres de plus en plus hauts et touffus. Elle était aux aguets. Aucun son dans ce corridor.

Elle évita de regarder ses pieds. Elle poursuivit son périple avec prudence. Lorsqu'elle arriva enfin à cette porte, elle se demanda ce qu'elle allait découvrir. Elle attendit patiemment. Haletante, elle l'ouvrit.

Une pièce spectaculaire s'offrit à ses yeux. Une bulle immense. Au milieu, une table illuminée de mille chandelles, remplie de victuailles de toutes sortes. Il y en avait en surabondance. Elle regarda autour d'elle. Aucune âme qui souffle. Elle s'approcha de la table et saisit un petit pain. Il dégageait une odeur incomparable. Elle prit une bouchée. Un goût inconnu, mais exquis. Elle en prit une autre. Elle avait tellement faim. Elle ne s'était pas aperçue qu'une personne s'approchait d'elle.

— Bonjour, jeune dame, dit celle-ci.

Launa sursauta. Elle se retourna en cachant le reste du pain. Une grande femme mince, au teint blanchâtre et aux yeux d'un bleu profond, se tenait près d'elle. Ses vêtements noirs et souples la rendaient encore plus élancée. Malgré ses vêtements de couleur sévère, elle paraissait douce et non agressive. Sa chevelure noire flottait librement sur ses épaules. Un diadème ceignant le haut de son front n'avait qu'un diamant à peine plus gros qu'un pois. Son port de reine fit en sorte que Launa avala la bouchée de pain à peine mâchée et se plia en deux, la tête parallèle au sol.

— Douce jeune fille, relevez-vous. Dans notre pays, les gens ne s'inclinent pas devant le commandeur. Ils font plutôt une génuflexion et regardent bien droit la personne.

« Le commandeur ? se demanda Launa, quel drôle de nom pour une souveraine. Commandeur, comme commander. Les femmes commandent ici. » Ce grade de supériorité lui inspirait admiration. À ce qu'elle sache, aucune femme à Dorado n'avait un grade de commande. Elle s'exécuta avec respect.

— Pardon, dit Launa en pliant légèrement les genoux.

— Avez-vous bien dormi, jeune fille ?

— Oui. Enfin, non… je dors avec mon dragnard depuis que je suis toute petite. C'est mon animal préféré…

Voyant l'air perplexe de sa vis-à-vis, elle continua :

— Oui, je sais, c'est un peu insensé de dormir avec un animal si grand… mais… je ne sais pas… je ne sais plus quoi dire… c'est un animal si doux… il ne dort pas dans mon lit, bien sûr, il est bien trop lourd, mais à mes côtés.

— Ah, je vois, dit-elle sans montrer la moindre émotion.

— Où est-il, belle dame ? fit Launa avec une nouvelle génuflexion.

— Sous bonne garde. Bien sûr, chaque chose à sa place et chaque chose en son temps. Votre animal est à sa place.

— Où ? dit Launa d'un ton suppliant.

— Hé bien. Il est dans notre écurie. Il n'était pas commode. Heureusement que le médecin a réussi à le calmer. Tout est sous contrôle.

« Un médecin ?! Qu'est-ce que ça peut bien être ? » se demanda Launa. Probablement un magicien qui calmait les animaux.

— Puis-je le voir ?

La reine sourit faiblement. Elle semblait très anxieuse.

— Oui, mais auparavant, j'ai un service à vous demander.

— À moi ? fit Launa surprise.

— Oui, je sais que ce que j'ai fait n'est pas bien. Ravir une enfant et son animal favori n'est pas dans mes habitudes. Je l'ai fait pour le bien de mon fils. De fait, je ne voulais que l'animal, pas vous !

Launa fut choquée. On les avait enlevés pour le bien de son fils. Elle avait envie de hurler, mais était-ce la bonne façon de réagir ? Le médecin aux pouvoirs magiques pouvait la réduire à néant ou l'endormir pour de nombreuses années.

Tout d'un coup, la souveraine appuya son index sur son oreille. Elle était toute concentrée.

– Jeune fille, j'apprends que votre... dragnard...

– Mon Frenzo ?

– Oui, votre Frenzo est avec mon fils... à l'écurie.

La dame cessa de parler et plissa le front. Elle sourit. Launa comprit qu'elle entendait une petite voix à son oreille. Y avait-il un esprit près d'elle ? Pourtant, elle ne voyait aucun être fabuleux voler près d'elle.

– Frenzo est auprès de mon fils et il est très gentil. Beaucoup plus gentil que je ne le croyais. Il est d'un grand secours. Venez, suivez-moi. Nous déjeunerons tous ensemble dans un moment, mais si vous avez faim, ne vous gênez pas, servez-vous !

Launa n'osa lui dire qu'elle s'était déjà servie. Lorsque la reine lui tourna le dos, elle avala rapidement le reste de son pain et prit une grosse brioche aux framboises. Puis, elle la suivit. Elles passèrent dans un corridor construit d'un matériau inconnu de Launa, un matériau noir et opaque. Tout au bout, ce couloir s'ouvrit sur une vaste salle éclatante. Tout ressemblait au château Mysriak, mais au lieu de la pierre, tout était en blocs de verre. De grandes toiles peintes, représentant des dignitaires et des dragons fantastiques aux couleurs vives, étaient suspendues aux murs. Elles traversèrent la cour intérieure et reprirent un corridor en grosses pierres équarries, puis un autre et enfin un autre corridor, lui aussi en pierres. Puis, elles descendirent des escaliers qui étaient situés sous terre. Elles arrivèrent devant une porte en bois immense et solide. Elles pénétrèrent dans un tunnel sombre et à peine éclairé. Enfin, elles débouchèrent sur un corridor peint en blanc. Une odeur de foin la rassura. C'était l'écurie. Un petit garçon était assis sur une chaise. De nombreuses couvertures l'enveloppaient. Il paraissait si petit et si faible. Frenzo était à côté de lui. De sa main maigrichonne, il caressait l'animal en souriant.

— Mère, c'est le plus beau cadeau que tu m'aies fait.

CHAPITRE 27

LA NAISSANCE D'UNE FÉE

Ce n'est qu'au petit matin que Landré et Éxir arrivèrent. Ces derniers s'excusèrent de ne pas avoir pu arriver plus tôt, la raison évoquée étant le temps misérable durant la nuit. Aux yeux d'O'Neil, c'était une pauvre, très pauvre excuse.

À l'intérieur, les quatre fées étaient disposées l'une à côté de l'autre dans la salle à manger. Elles respiraient très faiblement, elles étaient encore vivantes, mais le mal était fait. La pétrification s'était amorcée. Déjà le sang ne circulait plus au niveau de leurs jambes. Leurs pieds avaient pris un aspect pierreux. Il fallait faire vite. Ils eurent toute la misère du monde à leur faire boire la potion de résurrection. Puis, ce fut l'attente. Les heures passèrent. O'Neil était particulièrement anxieux. D'une minute à l'autre, il craignait de voir des gardes se pointer au domaine du Verger de la Pomme d'Or. Après tout, le délai était fini. Il s'attendait à être capturé et pendu dans la journée même. Heureusement, une chose le rassurait. Depuis de nombreux jours, il observait le ciel attentivement et aucun nuage noir aux allures insolites n'était apparu. Peut-être que la menace s'était évaporée à tout jamais. Peut-être que tout ce que le roi désirait, c'était Launa et son dragnard.

Midi, le temps se couvrit. Une pluie était imminente. O'Neil n'avait pas mangé depuis hier. Son ventre se tordait de douleurs et des borborygmes se firent entendre. Éxir, assis près de Pacifida, se leva et sortit de son sac une petite marmite.

— Tout semble sous contrôle, j'ai noté une amélioration. Prenons le temps de nous sustenter, dit Éxir.

Il souleva le couvercle de la marmite. Il avait un bouilli de pommes de terre aux haricots. Éxir prit sa baguette et prononça quelques mots. Les légumes devinrent chauds. Il fit apparaître du thé pour trois et une miche de pain. Tous les trois s'assirent et mangèrent en silence. Lorsque des bruits de vol de dragnards se firent entendre, O'Neil sursauta. Son inquiétude monta d'un cran. « Sont-ce les soldats qui viennent me capturer ? » se demanda-t-il. Tous les trois se levèrent et sortirent. O'Neil fut soulagé de reconnaître les deux dragnards d'en avant, Balou et Fabelle, suivis de trois autres. Lorsqu'il reconnut Naura et Éloy, il eut un serrement au cœur. « Est-ce que Naura et Éloy les avaient convaincus de m'arrêter ? Serais-je livré au roi par mes propres enfants ? » se questionnait-il.

— Ne craignez rien, dit Éxir. Vos enfants ne vous ont point trahi.

Éxir avait lu les pensées angoissées d'O'Neil. Ce dernier fut rassuré. Avec tous les événements des derniers temps, il ne savait plus quoi penser ni surtout à qui se fier. Ce n'est qu'une fois qu'ils eurent atterri qu'il remarqua l'absence d'Andrick.

— Mais où est Andrick ? demanda O'Neil.

— Je croyais qu'il était avec vous, mentit Éloïse pour ne pas l'effrayer davantage.

Elle le voyait bien. Il n'était plus le même. Il semblait amaigri et faible. Lui si fier, ses cheveux étaient en bataille et sa barbe, en désordre.

— Non, il n'est pas ici. Qu'est-ce qui se passe ?

Naura, Melvin et Éloïse parlèrent tous en même temps.

— Silence, réclama O'Neil. Je veux qu'un seul parle à la fois. Melvin, commence.

Il l'informa qu'Andrick avait disparu quelque temps après leur départ. Était-il parti ou s'était-il fait enlever ? Mais ce n'était pas ce qui l'inquiétait le plus. C'est ce que raconta Naura. Elle lui apprit qu'elle et toute la famille Dagibold étaient recherchées par son frère, qui avait reçu l'ordre de tous les pendre. Éloïse poursuivit en indiquant que Nina n'allait vraiment pas bien. O'Neil pensait qu'elle dormait sur son dragnard. Il courut vers elle. Il nota son état fiévreux. Il cria :

— Pourquoi ne l'avez-vous pas dit plus tôt ?

Il leur lança un regard plein de reproches. Il la détacha et l'amena à l'intérieur. Ses enfants le suivirent. À leur tour, ils furent estomaqués de voir leur mère dans un piètre état, ainsi que Zéphire et ses deux nièces. Elles semblaient mourantes. Leur visage était d'un blanc à faire peur. Éloïse s'agenouilla auprès de Pacifida et l'embrassa. Elle émit un cri. Le visage de sa mère était froid.

– Mais qu'est-il arrivé ? demanda Éloïse.

– Une trop grande joie, répondit Landré.

– Votre mère et les autres ont abusé de leurs pouvoirs, soupira Éxir. Je remarque une amélioration de leur situation. La pétrification a cessé et même régressé. Mais le processus de renversement risque d'être long, très long.

– Poil de dragnards ! Êtes-vous sûr de cela ? demanda Melvin.

– Oui, grâce à notre potion de résurrection, elles auront la vie sauve, mais hélas ! il faut attendre.

– Combien de temps ? demanda Éloïse.

– Le processus de guérison peut prendre plusieurs jours, voire des semaines, l'informa Landré.

– Mais nous n'avons pas ce temps puisqu'il faut fuir, renchérit Melvin.

— Et pour Nina aussi, il faudra faire quelque chose, annonça Landré qui s'était penché au-dessus d'elle.

— Je sais. Elle a une vilaine grippe depuis quelques jours, dit Éloïse.

— Non, il ne s'agit pas d'une vilaine grippe, affirma Landré.

Il avait soulevé l'arrière de sa tunique. Deux marques d'un bleu noir d'au moins 30 centimètres étaient localisées de chaque côté de sa colonne vertébrale. Tous émirent un ha d'étonnement à l'exception des magiciens.

— Nous allons assister à la naissance d'une fée, déclara Éxir une larme à l'œil.

CHAPITRE 28

L'ANTRE D'INFÉRA

— Où suis-je ? demanda Andrick.

Sa voix résonna dans cet espace grandiose et vide. Il n'y avait aucun objet. Pas de tables, de lits, de commodes, et encore moins de chaises. Rien qu'un espace éclatant, presque aveuglant. La forêt avait disparu et avait fait place à un habitacle. Le sol mou et végétal s'était transformé en une surface ferme, en granite rouge et noir. En plein centre, un immense cercle entourait une figure géométrique, une étoile à cinq branches en or. Andrick ne remarqua aucune démarcation entre le haut du mur et le plafond.

— Vous êtes chez moi. C'est ici ma demeure.

— Mais, il n'y a pas de meubles, de lits ou de tables… rien.

— Parce que je n'ai besoin de rien. Seulement m'allonger sur ce sol.

Andrick éclata de rire. Un rire nerveux. Il ne comprenait pas pourquoi une dame si frêle dormait dans un lieu si grand et aussi inconfortable. Pourquoi ne dormait-elle pas dans un lit moelleux et douillet comme tout le monde ? Avec de bonnes couvertures chaudes. Le sol lui paraissait dur et froid.

— Je sais. Cet espace vous paraît trop grand. Vous, les humains, vous vous attardez à ne voir que ce que vous voulez voir. Moi, une dame petite et fragile et Picou, un insignifiant petit rat à la voix terrifiante.

— C'est vrai. Je ne vois que ça. Qu'est-ce que je pourrais bien voir d'autre ? Et pourquoi ce voile qui recouvre votre visage ?

— Un sort m'a été jeté. Nul ne peut me regarder dans les yeux sans périr.

— Moi, je ne crois pas à ces balivernes, dit Andrick en croisant ses bras et en se gonflant la poitrine.

— Hé bien, si vous le voulez, je l'enlève.

— Assurément, je préfèrerais vous parler directement dans les yeux et, si je dois périr, je périrai.

Inféra le trouva très courageux et audacieux. Frivole, lui, n'était pas aussi sûr qu'Andrick. Décidément, ce n'était pas du courage qu'avait Andrick, c'était de la pure stupidité. Il alla se cacher derrière Andrick, ce qui fit rire Inféra. Elle n'avait pas entièrement soulevé son voile qu'Andrick éprouva soudainement un malaise. Une vive contraction lui traversa l'abdomen. Il se plia en deux. Une seconde revint. Cette fois-ci, elle était tellement intense et foudroyante qu'il s'allongea sur ce sol froid et dur. Il apprécia la fraîcheur. Quelques secondes plus tôt, il n'aurait pas cru qu'il raffolerait autant de cette surface glaciale. Il ressentit une sensation d'engourdissement grandissante. Il se recroquevilla, la figure collée au plancher, puis il se redressa et enfin, il s'allongea sur le dos. Aucune position n'était confortable. Inféra se mit à genoux près de lui et lui prit la main.

— Qu'avez-vous ?

— Je ne sais… trop rien… douce dame. Des douleurs horribles… me traversent tout le corps, finit-il par prononcer péniblement.

Des larmes lui coulaient le long du visage. La douleur était intenable. Frivole se mit à hennir et à pointer avec la tête le baluchon à son flanc. Ne comprenant qu'à demi, Inféra le prit et examina le contenu. Au milieu des petits paquets de nourriture, elle vit une gourde. Elle l'ouvrit et la sentit. Ce n'était que de l'eau. Frivole hennit de plus en plus fort. Inféra comprit ce que Frivole voulait qu'elle fasse. Elle souleva la tête d'Andrick et essaya de lui faire boire cette eau. Andrick se tordit davantage et secouait la tête de tout bord et de tout côté.

— Non, ne me donnez pas… de cette eau. Je crois… ah! j'ai mal, j'ai très mal… pas de cette eau… par la barbe des dieux… quelle douleur!

Inféra essaya à nouveau de le faire boire. Peine perdue, il gigota de plus belle.

— Elle est empoisonnée, réussit-il à articuler. Elle est… Aïe… je n'en peux plus, gémit-il. Je crois que je vais mourir… j'ai peur… Ahaaah! c'est ma fin…

Frivole oscillait de la tête et trépignait de ses pattes avant. Il était convaincu du contraire. Inféra referma la gourde. Elle demanda à Picou d'aller chercher une serviette mouillée. Andrick criait de plus en plus fort et était fiévreux. Picou revint à peine une minute plus tard traînant une immense serviette. Inféra recouvrit le visage d'Andrick qui émit quelques soupirs de soulagement. La douleur semblait moins pénible. Andrick respirait mieux. Puis, des cris encore plus atroces sortirent de sa gorge. Il hurlait à tue-tête. Des craquements se firent entendre. On aurait dit que quelqu'un broyait ses os. Inféra eut peur. Elle prit Picou et le mit dans sa poche. Elle se réfugia dans les bras de Frivole qui se mit à gémir. Inféra devant tant de douleurs se mit à pleurer et Picou, à couiner. Personne ne regardait maintenant Andrick. C'était trop affreux. À chaque craquement, Andrick hurlait à se fendre les poumons et Frivole se repliait de plus en plus. Inféra se sentit à l'étroit. Elle se libéra de cet espace chaud et réconfortant. C'est alors qu'elle vit qu'Andrick se métamorphosait. Ses mains et ses pieds s'étaient agrandis. Ses jambes s'allongeaient. Incroyable ! Andrick grandissait à vue d'œil. Elle ne s'était jamais imaginé que les humains grandissaient si vite que cela. Puis ce fut l'accalmie. Tout s'était arrêté. Elle releva son voile pour mieux voir. Andrick avait grandi d'au moins 30 centimètres. La serviette recouvrait encore son visage. Elle l'enleva. Sa figure enfantine avait fait place au visage d'un splendide jeune homme attendrissant et beau.

Il entrouvrit les yeux et regarda Inféra. Il n'avait jamais vu d'aussi jolis yeux, des yeux magnifiques d'un vert brillant. C'est alors qu'Inféra se rappela qu'elle n'avait plus son voile sur son visage. Elle vociféra et replaça son voile. Le mal était fait. Il allait périr. Elle sanglota et se mit à délirer :

— Pardon, pardon, je ne sais pas ce qui m'a pris.

Elle était atterrée. Sa curiosité allait tuer le premier homme qu'elle rencontrait après une attente de 150 ans. Elle était inconsolable et se frappait le thorax.

CHAPITRE 29

LE SCELLÉ

– Nous devons partir, s'écria Naura contrariée. Nous ne pouvons attendre. Mon frère et son armée nous cherchent. Il faut partir !

Tout le monde demeura figé malgré l'urgence soulignée par Naura. Elle pressentait l'arrivée de son frère dans l'heure. Elle fixa intensément O'Neil. Désemparé, il regardait tout à tour Éxir, Naura et les enfants. Naura avait prononcé le mot au goût amer, partir, ce qui supposait quitter les lieux sans son épouse, lui qui était censé être en charge d'une armée, alors que c'était plutôt une armée qui le recherchait, lui et toute sa famille. Il était déchiré de devoir partir en laissant sa femme dans un tel état. Éloïse épongea sa sœur à l'aide d'une serviette qu'elle trempait dans un seau d'eau bien froide. Contrairement à sa mère, elle avait le visage bouillant et gémissait constamment. Elle ouvrait les yeux de temps à autre et murmurait quelques remerciements à Éloïse, lorsqu'elle lui tamponnait le front d'eau froide.

— Nous ne pouvons quitter Pacifida et les autres dans cet état, dit O'Neil. Ni transporter Nina. Elle souffre énormément. Un tel voyage provoquerait sa mort.

— Rassure-toi. Elle survivra à ce trajet. Elle est plus forte que tu ne le crois. Quant à Pacifida, Zéphire, Rutha et Liana, nous ne pouvons les transporter. Elles devront rester ici. Je vais prononcer un scellé. Quiconque essaiera de pénétrer à l'intérieur sera foudroyé et mourra.

O'Neil doutait que ce soit possible, mais avait-il vraiment le choix ? Il acquiesça de la tête. Landré et Éxir s'exécutèrent. Ils dirent des incantations tout en traçant au sol une ligne autour du manoir. Juste une petite ligne dans la terre entourait maintenant le manoir. Ils pointèrent leurs baguettes sur la porte et un cadenas apparut. O'Neil réalisa qu'il ne verrait plus sa femme, et il voulut lui parler une dernière fois. Il s'élança vers l'entrée. Dès qu'il s'approcha de la ligne, Landré et Éxir s'emparèrent de lui.

– Sire O'Neil, il en va de votre vie, cria Éxir. Vous ne pouvez traverser cette ligne, un dôme de protection est maintenant au-dessus de ce manoir.

– Mais, j'aurais voulu dire au revoir à ma femme avant de partir et l'embrasser, dit O'Neil en retenant à peine ses larmes.

– Nous aussi, dirent Melvin et Éloïse en chœur.

– Hélas, une fois que le scellé est mis, nous ne pouvons l'enlever. Seules les personnes à l'intérieur le pourront. Le sort en est jeté.

– Je vous assure qu'elles s'en sortiront, ajouta Éxir plein de compassion.

O'Neil sanglota. Il était exténué et il n'était plus que l'ombre de lui-même. Les enfants vinrent le serrer en pleurant. Naura s'approcha de lui et tout doucement lui tendit un livre. Lorsqu'il entrevit le titre du livre, son regard s'éclaira. Il l'ouvrit. À sa grande surprise, il pouvait le lire en se demandant la raison de sa subite compréhension du langage dragon-fée.

— Mais d'où tiens-tu cela ?

— De notre mère, s'écria Éloy. Elle nous a fait une copie écrite dans notre langue. Notre mère nous protégera. Elle fera tout pour nous faciliter notre voyage.

Ce petit bonhomme de neuf ans exhalait un amour inconditionnel pour sa mère. O'Neil lui sourit. Ce livre lui donnait soudainement un vrai coup d'énergie.

— Oui, c'est vrai. Et ce pendule que j'ai à mon cou, c'est un pointeur. Ma mère sait où je suis en tout temps, dit Naura en soulevant son collier. Ce pointeur nous conduira jusqu'à l'antre d'Inféra.

— Par les dieux, je remercie le ciel, dit O'Neil. Enfin, une bonne nouvelle.

Tout lui semblait maintenant possible. Éxir comprit l'urgence de partir. D'un coup de baguette, il fit apparaître une couchette faite de lanières de cuir.

— Tenez, nous pourrons installer Nina sur cette couchette. Ce sera plus confortable pour elle. Nous pourrons suspendre la couchette entre deux dragnards et ainsi, vous aurez un des dragnards, dit Éxir à O'Neil. Nous devons partir.

O'Neil ne semblait toujours pas convaincu. Il regardait la demeure de la tante de Pacifida. Sa merveilleuse femme était étendue à l'intérieur, presque morte.

— Vite, père, il nous faut partir, dit Melvin.

— Oui, mais auparavant, il faut desseller les chevaux afin qu'ils puissent se nourrir et se promener à volonté, constata O'Neil.

Ces bêtes au moins seraient libres, ce qui n'était plus le cas ni pour lui ni pour sa famille.

— Je m'en charge, dit Landré.

D'un coup de baguette, il fit sortir les chevaux de l'écurie, un à un, sans selle, libre comme le vent. Ils gambadèrent et commencèrent à brouter l'herbe non loin des bâtiments. Persuadés que tout était en ordre, ils enfourchèrent leurs dragnards et s'envolèrent.

— Direction ouest, annonça Éxir qui connaissait la route.

Nina semblait apprécier sa couchette. Elle gémissait moins, mais au bout de deux heures de route, à quelques kilomètres de l'antre d'Inféra, elle se mit à hurler à mort. Il fallut atterrir tellement les cris étaient intenses. Ils survolèrent un mont. Le versant nord était dénué d'arbres. Éxir fit piquer du nez son dragnard. Les autres suivirent. Ils atterrirent sur les rives d'une rivière.

Au sol, Éloïse remarqua combien le dos de sa sœur était enflé. Elle criait de plus belle. Du sang se mit à couler le long de son dos. Nina s'accrocha à sa sœur à un point tel qu'elle lui lacéra le visage de ses ongles. Éloïse encaissa le coup. Elle souffrait avec elle. O'Neil marchait de long en large. C'était une autre épreuve. Son courage vacillait.

Puis, ce fut étrange d'entendre au loin des cris aussi déchirants que ceux de Nina, à quelques lieux de cela. Des cris d'un jeune homme. C'est alors qu'Éxir comprit.

— Des jumeaux. Pourquoi n'y avais-je pas pensé ?

— Quoi ? s'exclama O'Neil.

— Nous assistons à la naissance d'une fée et d'un magicien. Les cris que vous entendez, ce sont les cris de votre fils, Andrick. Il est tout près et il se métamorphose en magicien, dit Éxir.

— Il n'a donc pas été enlevé, constata Melvin. Il n'a donc pas été enlevé, répéta-t-il d'une voix forte.

Pendant que Melvin, Naura et Éloy savouraient cette bonne nouvelle, O'Neil aurait voulu bondir et enfourcher un dragnard pour être près de son fils. Mais hélas, il ne le pouvait pas. Tous ces cris étaient insupportables. Encore une fois, O'Neil sentit sa bravoure flancher. Son cœur se déchirait d'entendre ses enfants souffrir le martyre. Il espérait que ce ne soit qu'un rêve, un mauvais rêve. Il s'agenouilla et prit sa tête entre ses deux mains. La souffrance était trop grande.

Pour Melvin aussi, l'intensité des cris de sa sœur et de son frère était déconcertante. Il serra très fort Naura. Bichou, au fond de son baluchon de fortune, tremblait de tout son être et gémissait. Éloy s'était enfoui sous son dragnard. Seule Éloïse endurait ce mal. Elle avait le visage lacéré. Par temps d'accalmie, elle trouva la force de chanter une berceuse tout en balançant sa sœur.

Seuls Éxir et Landré étaient heureux et savaient que ces douleurs étaient un passage obligé pour ces deux jeunes humains se métamorphosant en magiciens. Deux membres de plus dans la confrérie des fées et des magiciens. C'était un jour béni. Puis, ce fut le silence. Les cris avaient cessé. Deux belles ailes d'un bleu transparent se déployèrent. Elles étaient ravissantes. Nina était trop faible pour les admirer et encore moins pour les essayer. Elle replia ses ailes et sombra dans un sommeil profond. Tous poussèrent un soupir de soulagement. Les cris au loin s'étaient tus. Il fallait repartir. Ils étaient si proches du but.

– Droit devant, dit Éxir qui pointait l'endroit d'où provenaient les hurlements. Nous sommes à deux kilomètres, tout au plus.

CHAPITRE 30

FRÉDÉRIC

À la vue de sa maîtresse, Frenzo s'agita et, en deux mouvements, il fut aux pieds de Launa. Le petit garçon le suivit du regard. Launa nota les mêmes yeux que chez la commandeure, mais empreints d'une grande tristesse. Deux gardes vêtus de noir supervisaient les moindres gestes du dragnard.

— Ah, j'oubliais. Quel est votre prénom, jeune fille ?

— Launa, douce dame, dit-elle suivi d'une génuflexion.

Ne valait-il pas mieux faire tout ce que l'on croit utile pour ne pas choquer ces malfaisants ? N'avait-elle pas dit qu'elle savait que ce n'était pas bien ? Alors, pourquoi se mettait-elle dans une situation mauvaise ? Toutes ces questions bouillonnaient dans la tête de Launa.

– Quel adorable prénom, Launa ! Hé bien, ma chère Launa, je te présente Frédéric. C'est mon fils et le seul enfant que j'ai eu. Hélas ! ces jours-ci, il a une vilaine grippe… et… je crois que la compagnie d'une jolie demoiselle et de son dragnard serait des plus bénéfiques.

Launa arrondit ses yeux. Elle était donc là par pur caprice. Pourquoi s'en était-elle prise à elle ? Pourquoi cette extravagance ? Elle avait envie de crier et de l'injurier. Pire, lui donner un coup de pied aux chevilles. Elle se ravisa. Launa se mordit la lèvre et préféra jouer à la compatissante. Frenzo, trop content de la voir, lui léchait les oreilles. Elle lui donna une gentille tape sur son museau pour qu'il cesse ses gestes d'affection. Malgré tout, il s'aplatit par terre et se mit à gémir. Frédéric se redressa de son fauteuil pour le consoler. Trop faible, il retomba lourdement.

– Pourquoi moi ? souffla Launa en s'empêchant de grimacer.

— Depuis que son dragon préféré est décédé…

— Un dragon ? Mais ça n'a jamais existé ! susurra-t-elle d'une voix légèrement plus forte. C'est une invention des Anciens pour se rendre intéressants.

— Des Anciens ?

— C'est un peuple qui vit dans les montagnes. Eux, ils croient que les dragons ont déjà existé, mais c'est de la pure fantaisie, de la foutaise, s'enflamma-t-elle.

— Ils ont raison. Il y a bien des années, les dragons ont vraiment existé, s'étonna la commandeure du ton emporté de Launa.

Launa aurait bien voulu poursuivre la conversation, mais une vive douleur la foudroya en plein milieu du dos. Jamais elle n'avait ressenti une telle souffrance aiguë. C'étaient comme deux lames d'acier qui lui labouraient l'échine. Elle tomba au sol.

Frenzo se releva. Il émit de longs hennissements comme pour dire à la commandeure : « Faites quelque chose, vous voyez bien qu'elle souffre ? » Au lieu de cela, elle resta interdite. Un tas de questions se bousculaient dans sa tête : « Était-ce une maladie contagieuse ? Mon fils bien-aimé était-il en danger devant la présence de cette enfant malade ? Qu'est-ce que je devrais faire ? »

Frédéric se mit à pleurer. Launa s'enroula sur elle-même sur le sol de pierres. Elle tremblotait et gémissait. Puis, elle fut secouée de plusieurs spasmes et son corps devint brûlant. Enfin, la commandeure intervint.

— Gardes, vite ! Allez chercher le médecin.

Les deux hommes partirent sur-le-champ. La mère de Frédéric s'inclina et mit sa main sur le front de Launa. Elle avait les joues en feu et son front était bouillant. Elle bougeait tellement que cette dernière craignit qu'elle ne se blesse. Elle se releva et regarda en direction de Frenzo.

— Prends bien soin d'elle et de mon fils, dit-elle. Je reviens avec des serviettes mouillées et des draps dans un instant.

Frenzo hocha la tête. Elle fut à la fois surprise et heureuse de savoir que Frenzo la comprenait. Le dragnard s'écrasa par terre entre Frédéric et Launa et, de sa tête, lui caressa les cheveux. Launa fut reconnaissante de ce geste et cessa de remuer. Rassurée, la commandeure sortit de la pièce d'un pas rapide.

CHAPITRE 31

VENT DE CHANGEMENT

Somnolant, Andrick n'était sûr de rien. Avait-il vraiment vu les yeux d'Inféra? Avait-il rêvé? Était-il mort? Il bougea les doigts de sa main droite. Il sentit une douleur irradier dans tout son bras. Non, il vivait encore et son corps était une source de souffrances. Qu'avait-il fait? Il lui semblait que la dernière chose qu'il ait faite, c'était d'avoir admiré de magnifiques yeux vert émeraude.

Il sentait la présence d'Inféra juste à côté de lui, mais il était beaucoup trop faible pour lui poser des questions. N'avait-elle pas dit qu'il périrait s'il voyait ses yeux?

Maintenant que c'était fait, il s'en allait. Que pouvait-il espérer de plus naturel ? Vivre n'avait plus d'importance. Cette douleur avait tellement été ardente et soudaine qu'il n'espérait qu'une chose, dormir. Il ne résista pas. Il laissa le sommeil s'emparer de lui. Peut-être ce sommeil serait-il son dernier. Tout son corps réclamait le calme et le repos.

Inféra, de son côté, fut stupéfaite de son geste. Elle avait le sentiment qu'Andrick l'avait bien regardée et pourtant, au lieu de périr, il avait l'air d'aller mieux. Il ne hurlait plus. Il était allongé et son corps, si tendu quelques minutes auparavant, était décontracté. Puis, il y avait eu ces cris, des cris d'une jeune femme au loin. Frivole s'était à ce moment-là accroupi et avait henni un long et doux cri, comme s'il connaissait cette personne qui hurlait de douleurs en même temps qu'Andrick. Il y avait un vent de changement. Quelque chose se préparait. Frivole s'approcha de son maître et le couvrit. Inféra les laissa se reposer et sortit au-dehors avec Picou.

— Crois-tu qu'il va mourir ? demanda-t-elle.

— Hélas ! Je ne suis pas devin. Je n'en sais rien, dit-il de sa grosse voix rauque.

À peine une demi-heure plus tard, elle vit plusieurs dragnards voler en sa direction. Elle n'avait jamais vu un aussi beau spectacle. Sept magnifiques dragnards survolaient son espace. Elle couvrit son visage. Elle les attendit.

Les dragnards cherchaient une clairière pour atterrir. Ils avaient beau tournoyer pour y trouver une trouée, il n'y avait que des petites zones dénudées. Cette forêt dense risquait de les meurtrir. Ainsi, ils plièrent leurs ailes pour ne pas les abîmer. L'atterrissage fut rapide et brutal. Les branches les fouettèrent. Ils protégèrent du mieux qu'ils purent leur passager. Les dragnards sont des bêtes responsables. En aucun cas ils ne chercheraient à exécuter une manœuvre pouvant blesser leur hôte.

Heureusement que Nina n'était plus dans sa couchette. Peu de temps après leur départ, Melvin l'avait soulevée et installée en avant de lui. Elle dormit profondément durant tout le trajet. Son sommeil fut interrompu par une branche qui la frappa durement à l'épaule. Ce coup raviva des douleurs persistantes au dos. Son corps n'était plus qu'une coquille endolorie. Un à un, ils descendirent de leur dragnard. Melvin souleva délicatement Nina et la déposa au sol. Ils étaient très proches d'Inféra. Cependant, ils ne la voyaient pas.

— Il fait si sombre, dit Melvin. Sommes-nous au bon endroit ?

— Je crois bien que oui. Mon pendule ne bouge plus. Nous y sommes, répondit Naura en tournant sur elle-même, j'en ai la certitude.

— C'est bien ici, dit Éxir en humant l'air. Je sens sa présence.

Il prit sa baguette magique et dit :

— Que la lumière soit !

Les arbres devinrent transparents et lumineux. Inféra apparut très près d'eux. Ils émirent un ha de stupéfaction. Toute vêtue de rouge, elle était magnifique, une jolie femme seule au milieu d'une forêt. Ils furent davantage stupéfaits lorsqu'ils entendirent une voix masculine derrière elle.

— Et dire qu'elle s'appelle Inféra.

Tous cherchèrent cette voix, même la jolie dame se retourna.

— C'est marrant, non. Elle n'a pas tout à fait l'apparence attendue, l'image d'un dragon énorme et féroce aux écailles de poisson. Wow ! dit-il en riant. Quelle surprise ! Au lieu d'un vilain dragon, une charmante dame du nom d'Inféra.

Inféra vit Andrick qui rampait par terre. Trop affaibli, il s'était traîné. Frivole l'avait quelque peu aidé en le tirant par ses vêtements. O'Neil s'avança vers lui.

– Andrick ? Est-ce toi ?

– Oui, père.

Certes, c'étaient ses vêtements, mais en lambeaux. Son visage était méconnaissable. Plus affirmé, plus angulaire. Pourtant, c'était bien son fils, les mêmes yeux bleus que sa sœur Nina.

« Quelle métamorphose ! » pensa-t-il. Il paraissait plus grand et plus mince. O'Neil jugea qu'il devait mesurer au moins 20 centimètres de plus, mais comme il était allongé au sol, il n'en était pas sûr.

Il se jeta à ses pieds et le prit dans ses bras.

– Que t'est-il arrivé ? Tes vêtements sont tous déchirés et couverts de sang.

– C'est cette maudite eau de Cristal que j'ai utilisée. Elle devait être empoisonnée. J'ai senti tous mes os se broyer et j'ai bien cru que mes derniers jours étaient arrivés.

Andrick avait une autre hypothèse qu'il ne voulait pas révéler. Elle était trop incroyable. Il avait vu les yeux d'Inféra. Il en était maintenant sûr. Par un miracle qu'il ne s'expliquait pas, il n'avait pas péri. Il avait survécu à la malédiction. Éxir s'avança vers Andrick et s'agenouilla. Il avait un sourire niais qu'Andrick trouva inconvenant après le martyre qu'il venait d'endurer.

– Non, Andrick. Ce n'est pas l'eau de Cristal. C'est la transformation. Tu es maintenant un magicien comme moi et Landré. Tu fais partie de l'élite. Nina a subi elle aussi une transformation. Elle est devenue une magnifique fée.

À ces mots, Andrick s'écria :

– Puis-je la voir ?

Il se releva, mais dut renoncer à marcher. Tout son corps était en déséquilibre. Ses jambes étaient encombrantes et trop longues, et que dire de ses deux bras qui pendouillaient de chaque côté de son corps. Tout lui faisait mal. Frivole eut l'idée géniale de passer sa tête sous un de ses bras. Ainsi, Andrick put rejoindre Nina où elle se reposait. Elle avait un visage angélique, plus long et plus fin. Il vit sa chemise déchirée et ses ailes. Elle entrouvrit les yeux et voulut l'étreindre. Elle ne réussit qu'à glisser sur le côté. Elle était beaucoup trop faible. Il s'allongea près d'elle.

— Je suis devenue une fée comme mère, souffla faiblement Nina.

— Je ne peux le croire. Et moi, je suis un magicien. Je n'ai jamais pensé qu'un jour, je serais un magicien. Notre mère, Pacifida, doit être fière de nous, dit Andrick.

Il regarda autour de lui et fut surpris de ne pas voir Pacifida. O'Neil regardait le sol. Melvin et Éloïse pleurnichaient.

— Mère, où êtes-vous ? cria-t-il d'une voix forte.

Naura et Éloy étaient côte à côte. Andrick ne comprenait pas la raison de la présence de deux des enfants royaux.

— Qu'est-il arrivé à mère ? demanda Andrick en fixant son père.

— Elle se repose, répondit O'Neil.

— Elle se repose !? Pourquoi ? Est-elle malade ? questionna Andrick.

— En effet, elle a une vilaine grippe, mentit Melvin, un genre de grippe.

Cette réponse satisfit Andrick, mais n'expliquait pas la présence des enfants du roi.

— Et pourquoi Naura et Éloy sont-ils ici ?

— Parce que nos vies sont en danger, répondit Naura.

Intriguée, Nina se redressa et demanda :

— Qu'est-il arrivé ?

Andrick s'efforça de se relever. Rien à faire. Ses jambes manquaient de force. Landré fit apparaître une chaise. Éxir s'approcha d'Andrick. Il l'aida à se relever et à s'asseoir.

— Bien des choses viennent de changer, répondit Éxir. Notre bon roi a perdu la tête.

— Il n'a plus de tête ? Comment cela est-il arrivé ? demanda Nina.

— Non, c'est une façon de dire qu'il n'a pas toute sa tête.

Nina ne comprenait pas plus. Naura s'avança vers elle et s'agenouilla. Elle lui caressa les cheveux.

— Launa a été enlevée, ainsi que Frenzo.

— Par qui ? s'écria Andrick.

— Par un nuage, un gros nuage noir, répondit Éloy.

— Hein ? Mais ça n'a pas de sens, répondirent en chœur Andrick et Nina.

— Ce n'est pas un nuage, ce sont des Envahisseurs, ajouta Naura.

— Des Envahisseurs ! s'exclamèrent Nina, Andrick et Inféra.

Éxir prit la parole et fit un résumé de toute la situation. La disparition de Launa et de Frenzo. L'abus de leur pouvoir et la lente récupération de Pacifida, Zéphire, Rutha et Liana. La condamnation à la pendaison des Dagibold et de Naura. La nouvelle armée ayant comme chef Wilbras VI.

Nina et Andrick interrompirent souvent le récit d'Éxir. Ils ne pouvaient se résoudre à avaler toutes ces informations.

— Père, dites-nous que ce n'est pas possible ? demanda Nina en pleurnichant. J'aimerais tellement que ma mère soit près de nous.

Toutes ces nouvelles perturbaient Andrick ; l'absence de sa mère et l'enlèvement de la jolie Launa et de son Frenzo par des Envahisseurs… Il ne pouvait oublier la merveilleuse course et le plaisir de partager ensemble la coupe du Dragon d'or. Elle avait un sourire impérissable. Ce soir-là, il aurait bien aimé l'embrasser. Maintenant, il savait que ce n'était plus possible. Comment pourrait-il combattre ces Envahisseurs et retrouver Launa ? Il soupira. Il ferma les yeux et serra les poings. Il désirait la retrouver le plus vite possible et la ramener auprès de sa famille. Et ainsi, tout redeviendrait comme avant. Éxir sentit en Andrick sa force et sa détermination. Il était la personne toute désignée pour accomplir cette mission et non O'Neil. Ce dernier était beaucoup trop bouleversé par le dépérissement de sa femme.

— Oui, tout ce qu'a raconté Éxir est malheureusement vrai, répondit O'Neil après un certain temps.

— Heureusement que nous avons de nouvelles recrues pour la magie, dit Éxir.

— Et aucun dragon, affirma Andrick.

En effet, aucun dragon en vue autour d'eux. Tous acquiescèrent, sauf Éxir et Landré.

— Mais Inféra est un dragon, répliqua Éxir.

Andrick partit à rire. Il cessa vite de rigoler. Ses côtes lui faisaient trop mal. Soudain, il entendit un grognement effrayant sortir de la poitrine d'Inféra. Était-ce Picou qui montrait son mécontentement ? Ce qu'il vit sortait de l'ordinaire. La jeune femme fragile se transformait en gémissant. Cette transformation ne se faisait pas sans douleur. Comme lui, elle souffrait. Il eut pitié d'elle. Elle hurla si fort qu'on entendit des échos de sa douleur mourir au loin. Peu à peu, son corps se couvrit d'écailles brillantes et rouges. Elle grandissait à vue d'œil. Sa taille semblait ne plus s'arrêter. Toute la famille Dagibold recula, ainsi que Naura et Éloy. Puis, sa croissance cessa.

Elle était devenue énorme et presque aussi haute que les arbres environnants. Picou, qui était à ses pieds, se dressa fièrement sur ses pattes. Personne n'émettait un son. Ils pouvaient l'admirer de la tête au pied. Comme par magie, ses vêtements avaient disparu. Tous purent admirer ses yeux magnifiques. Son visage étant à découvert, Éxir et Landré craignaient le pire. Tous les deux se demandèrent si tous allaient succomber à ses charmes et devenir des esclaves de ce dragon. Seraient-ils tous ensorcelés par elle ? Le silence était étouffant. Des bruits d'ailes de dragnards se firent entendre. Naura s'écria :

— C'est mon frère qui s'en vient. Vite, il faut se cacher.

Assurément, les cris d'Inféra l'avaient dirigé vers eux. Il faillait se mettre à l'abri.

— Mais où ? se demanda Melvin.

Ces deux phrases eurent l'effet d'un pétard. Picou réagit le premier. De sa voix tonitruante qui les fit sursauter, il suggéra :

– Allez, entrez ! Mettez-vous à l'abri dans notre refuge.

Tous, à l'exception d'Andrick et d'Inféra, cherchèrent d'où provenait cette voix étonnante. Ils virent un rat blanc. Naura eut un geste de recul.

– Est-ce possible que ce soit ce rat qui parle ? demanda-t-elle à haute voix.

– C'est Picou, l'ami d'Inféra, s'écria Andrick en voyant leur interrogation. Vite, mettons-nous à l'abri.

Andrick ramassa ses forces et se leva péniblement. Il prit Picou d'une main et, de l'autre, il indiqua le chemin de l'entrée de l'antre. Enfin, ils ne se firent pas prier. Ils s'engagèrent dans cet espace. Inféra, avec sa longue queue, occupait une bonne partie du refuge. Tout était calme à l'intérieur. C'est avec horreur qu'ils virent surgir Wilbras VI et son armée entre les arbres. Ils étaient près d'eux. À quelques mètres seulement, Wilbras VI appliqua sa main sur la paroi.

Tout comme Andrick quelques heures plus tôt, il ne comprenait pas pourquoi il y avait une résistance. Il ordonna à son armée de frapper avec une épée cette paroi infranchissable. Ils heurtèrent à de nombreuses reprises le mur, mais rien n'y fit. Wilbras VI dut admettre son impuissance. Ce n'était pas par de petits coups d'épée qu'ils pourraient détruire cette muraille invisible. Il ordonna l'arrêt, puis enfourcha son dragnard. Il fixait attentivement l'intérieur de l'antre. Il n'y voyait que des arbres. Cette muraille invisible l'intriguait. Un drôle de sourire apparut sur son visage.

— O'Neil Dagibold, je sais que vous êtes là, vous et votre famille. Soyez sans crainte, dit-il d'une voix sarcastique. D'ici quelques jours, je reviendrai et je vaincrai ce mur.

Il fit signe aux soldats d'enfourcher leur dragnard. Chaque soldat obéit à son ordre. Enfin, Wilbras VI, bien en selle, leva le bras et tous s'envolèrent.

À l'intérieur du refuge, tous émirent un soupir de soulagement. Ils étaient saufs, mais pour combien de temps ? Ce n'est que plus tard qu'Éxir comprit que le maléfice s'était effacé. L'incroyable s'était produit. Une prophétie s'était réalisée. Une chance sur un million que cela s'accomplisse. Seule la naissance d'un magicien pouvait briser ce sort. La métamorphose d'Andrick en magicien s'était opérée sous les yeux d'Inféra. Elle était enfin délivrée de ce mauvais sort. Éxir se mit à pleurer.

– Qu'avez-vous ? demanda O'Neil.

– Rien. Je pleure de joie. Inféra a été libérée du mauvais sort jeté sur elle. Vous voyez, nous ne sommes pas sous son emprise.

Inféra émit des sons. Personne ne comprit ce qu'elle disait, sauf Andrick, Nina, Éxir et Landré. Ils comprenaient le langage dragon-fée. Andrick répondit à Inféra. Naura et Melvin lui demandèrent ce qu'elle avait dit.

– Elle est heureuse et moi aussi. Maintenant, je crois que tout est possible.

En effet, Éxir en était lui aussi convaincu. Nul doute, Andrick se devait d'être le chevalier du dragon rouge. Lentement, Andrick s'approcha d'Inféra. Elle courba la tête et il la caressa. Sa peau était froide et tranchante. Autant il avait imaginé chevaucher Inféra, autant aujourd'hui, il respectait cette dame, si fragile quelques instants auparavant, devenue subitement une bête puissante.

– Père, dit Andrick, je ne chevaucherai jamais Inféra. Je veux qu'elle redevienne la jolie princesse et qu'elle vole à mes côtés sur un dragnard, comme moi, à la recherche de Launa et de Frenzo.

Éxir approuva de la tête et ajouta :

– Je crois en effet que ce serait la meilleure façon de préserver le dragon en elle. Ainsi, elle passera inaperçue.

– Moi aussi, je veux faire partie de l'équipe, dit Nina qui avait repris des forces.

Landré et Éxir sourirent d'enchantement. Leurs yeux brillaient de joie. Ils applaudirent. La petite armée du dragon rouge était formée. Inféra reprit sa forme humaine. Naura, Éloy et Melvin l'enlacèrent. Quant à O'Neil, il était plongé dans un grand chagrin. Sans Pacifida, il se sentait inutile.

– Quand pouvons-nous partir ? demanda Andrick.

– Hé bien, d'ici quelques jours. Il faut que je vous montre comme utiliser ça ! dit Éxir en sortant trois baguettes magiques de sa poche. Sans savoir pourquoi, hier, je les avais soigneusement préparées avant de quitter ma résidence. Je vois que j'ai bien fait de suivre mon instinct.

Tous les trois prirent les baguettes. Une rouge pour Inféra, une blanche pour Nina et une bleue pour Andrick. Solennellement, ils la soulevèrent et l'examinèrent avec attention. Ils étaient tous les trois prêts pour leur mission. Retrouver Launa et Frenzo.

— Hé bien, que la fête commence ! ne put s'empêcher de dire Éxir.

Il secoua sa baguette à de nombreuses reprises et une magnifique table en chêne apparut, lourdement chargée de nourriture. Landré fit apparaître des chandelles et des musiciens. La tristesse disparut des visages, particulièrement chez Picou. Il émit un faible et long soupir de soulagement. La prophétie allait enfin se réaliser. Lui seul connaissait la raison du pendentif au cou d'Inféra, la pointe brisée d'une étoile à cinq branches. Il savait que de nombreuses embûches se pointeraient à l'horizon et que le retour de Launa dépendrait aussi de ce pendentif.

Extrait du
Tome 2

CHAPITRE I

L'ANTRE D'INFÉRA

Après bien des souffrances, Nina était devenue une élégante fée aux ailes reflétant des couleurs verdâtres et bleutées, et Andrick, un magicien mince et élancé. Hier encore, ils n'étaient que de simples hobereaux.

Encore tous les deux affaiblis par leur transformation, ils reprenaient des forces parmi les leurs. Les jumeaux étaient entourés de leur sœur Éloïse, de leur frère Melvin, de leur père O'Neil, d'Inféra et de son compagnon de fortune, Picou le rat, de deux amis – des descendants de la famille royale – Naura et son jeune frère Éloy, ce dernier âgé de neuf ans, et, pour compléter le groupe, de deux enchanteurs, Éxir et Valdémor. Pour tous, cette journée avait été mouvementée et éprouvante à un point tel qu'ils avaient oublié de se nourrir.

– J'ai faim, dit Éloy, le seul debout.

Tous se regardèrent. Ils étaient encore trop secoués par les derniers événements pour réagir. L'attaque surprise d'une armée constituée d'une centaine d'hommes les avait poussés à s'abriter dans le repaire d'Inféra, une dragon-fée, c'est-à-dire une fée pouvant se transformer en dragon.

– Oui, en effet, un bon repas nous ferait le plus grand bien. Que diriez-vous d'une bonne soupe au pistou avec un bon pain pour nous réjouir de la naissance de deux nouveaux enchanteurs ? demanda Valdémor, un magicien grand et bien bâti.

– Excellente idée ! renchérit Éxir en se redressant. Un peu d'air frais nous fera du bien.

Les autres restèrent assis en rond, comme figés dans le temps. Même les dragnards, eux si vivants et espiègles, étaient indolents et regroupés ensemble. À quelques pas de là, Melvin et Naura caressaient le gentil dragnard Bichou qui n'était pas plus gros qu'un chat. Andrick et Nina combattaient un sommeil commençant à les gagner après leur exténuante métamorphose. Inféra et Picou se tenaient près d'eux. Éloy, lui, tournait en rond, affamé et perturbé d'être sans ses jouets. Il regrettait presque d'avoir quitté le confort du château, les attentions de sa mère et la nourriture abondante du palais.

À l'écart de l'attroupement, O'Neil s'efforçait de ne pas pleurer, étant donné son désespoir d'être loin de sa femme, sa douce Pacifida. Elle récupérait à plusieurs kilomètres de là, avec sa tante et ses deux cousines, à demi pétrifiées, après un abus de magie. Les enchanteurs l'avaient convaincu qu'elles devraient s'en tirer, d'ici quelques semaines. Ce n'était qu'une question de temps. Bien que la guérison soit prometteuse, O'Neil désespérait. L'attente lui était insupportable.

Voyant leur inertie, Éxir se planta devant le groupe.

— Allons, il fait un temps superbe dehors ! fit-il en tourniquant des bras pour les encourager à bouger. Nous allons faire un bon petit feu à l'extérieur et déguster une bonne soupe !

— Ne pourrions-nous pas le faire ici ? demanda Naura effrayée en se lovant dans les bras de Melvin.

— C'est impossible, murmura Inféra qui se tenait à l'écart du groupe.

Tous tournèrent la tête vers ce timbre si ténu. Encore intimidée par tant de gens, elle ajouta d'une voix hésitante :

— Bien que nous soyons confortable, l'air circule très peu… Par temps froid, j'ai bien essayé de faire juste un petit feu pour réchauffer mon thé et… en quelques minutes, une épaisse fumée s'est répandue. Elle vous prend à la gorge et… vous n'arrêtez pas de tousser.

Picou juste en avant d'elle hocha la tête. Il se dressa sur ses pattes.

— Non, on ne peut pas faire de feu ici, affirmait-il de sa voix de baryton qui ne manquait pas de surprendre l'audience, compte tenu de sa petitesse, à chaque fois qu'il ouvrait la bouche.

— Mais, maître Éxir, ne craignez-vous pas une autre apparition surprise de mon frère et de son armée ? ajouta Naura en s'adressant à ce magicien réputé être le plus grand enchanteur à Dorado. Il était là, il y a à peine une heure, à vouloir notre peau.

— Si, avoua Éxir en se grattant pensivement le menton.

— Ne pourriez-vous pas vous servir de la magie pour faire apparaître des mets chauds ? dit Andrick.

— Si.

Agacée par des réponses si courtes et luttant contre une léthargie prenante, Nina se releva et fit quelques pas chancelants en direction du magicien. Les proportions de son corps s'étaient modifiées si rapidement qu'elle se devait d'ajuster sa démarche. Elle s'étira une jambe, puis l'autre et enfin le bras droit. Elle roula son épaule gauche très ankylosée. L'aile située de ce côté se déploya de façon instantanée et frappa de plein fouet le visage du grand enchanteur. Il perdit son chapeau rond en feutre bleu orné d'étoiles jaunes et une mèche de cheveu recouvrit ses yeux.

Elle voulut le ramasser. Cette fois-ci, l'aile droite s'abattit sur le dessus de sa tête en entremêlant encore une fois les longs cheveux noirs de la victime. Elle rougit et bredouilla plusieurs excuses à l'endroit d'Éxir. Elle constata qu'elle ne maîtrisait pas adéquatement les mouvements de ses nouvelles ailes. Une solution lui apparut nécessaire. Elle saisit à deux mains les pointes et les stabilisa en les ramenant vers elle.

Tous rirent avec discrétion à l'exception d'Andrick qui rigolait à un point tel qu'il fut saisi d'une pointe de hoquets. C'était la première fois qu'il voyait sa jumelle si confuse. Elle, si sage et si brillante, maîtrisait mal sa récente acquisition. Éxir récupéra son chapeau et le secoua sur sa jambe pour le nettoyer. Il mit de l'ordre dans ses cheveux et le replaça sur sa tignasse.

— Hé bien non, rétorqua l'enchanteur encore choqué par la maladresse de la jeune fée. Nous allons manger à l'extérieur, un point c'est tout !

— Pourquoi ? demanda alors Éloïse intriguée par sa réponse et amusée par le visage déconfit de son interlocuteur, qui replaça une mèche rebelle derrière une de ses oreilles.